D0529913

200 remèdes

au citron

Philippe Chavanne

FIRST
Editions

Les informations fournies dans cet ouvrage ne remplacent en aucun cas les conseils ou le traitement d'un expert. Parce que chaque individu est unique, il appartien au médecin d'effectuer un diagnostic et de superviser les traitements pour chaque problème de santé. Si un individu suivi par un médecin reçoit des conseils contraires au informations fournies dans cet ouvrage, les conseils du médecin devront être respectés, car ils se basent sur les caractéristiques uniques de cet individu.

ISBN : 978-2-7540-3135-6

Dépôt légal : août 2011

Couverture : Chrystel Proupuech
Conception graphique : Chrystel Proupuech
chrystel@pinkpurplepaper.com
Illustrations : Pascale Etchecopar
Maquette : Olivier Frenot

Éditions First-Gründ
60, rue Mazarine
75 006 Paris – France
Tél. : 01 45 49 60 00
Fax : 01 45 49 60 01
firstinfo@efirst.com
www.editionsfirst.fr

Table des matières

*Citron : le petit agrume
100 % malin,
100 % précieux*

« Il » est depuis longtemps incontournable en cuisine. Il apporte à quantité d'aliments et à d'innombrables préparations gastronomiques une saveur supplémentaire tout à fait irrésistible. Et puis, que seraient les gourmands sans la fantastique tarte au citron, les escalopes de veau au citron, la confiture de citron au romarin, les sardines glacées au jus de citron ou le citron confit ?

Mais « il » est également indispensable dans la pharmacie familiale. Tour à tour purifiant, désinfectant, tonifiant... il nous procure également des fibres, de la vitamine C... tout en restant très pauvre en calories. Ce qui est bien sûr aussi intéressant sur le plan médical que pour la ligne : avec à peine 19 kcal par 100 g, il est le compagnon de table idéal de toutes les personnes qui suivent un régime amincissant raisonné et équilibré.

Au rayon beauté et bien-être général de la personne, « il » reste tout aussi essentiel. Et remplace très avantageusement, tant sur le plan de l'innocuité que sur celui du coût d'achat et d'utilisation, un très grand nombre de produits industriels et chimiques onéreux dont les composants, trop souvent toxiques à toutes les doses, ont de quoi faire frémir.

Enfin, d'une manière plus globale, « il » reste aussi l'ami malin de toutes celles et de tous ceux qui veulent entretenir sainement et économiquement leur maison : éliminer des taches à coup sûr, dégraisser efficacement des plaques de cuisson, désinfecter le plan de travail de la cuisine, redonner une seconde jeunesse à du cirage séché, raviver les cuivres ternis, désodoriser les toilettes mais aussi la plupart des appareils électroménagers…

« Il » ?

Un petit fruit d'un beau jaune brillant, tout à la fois délicieusement odorant et généreusement juteux. Un petit fruit emblématique de ceux que l'on surnomme avec un brin de poésie les « fruits du soleil ». Mais aussi le symbole de la jolie ville méditerranéenne de Menton qui lui fait régulièrement fête. En un mot : le citron !

Un petit fruit aux origines encore mystérieuses

« Il était une fois… »

Ainsi pourrait commencer l'histoire du citron. On ne se doute généralement pas, en allant en acheter chez les marchands de fruits et légumes ou en en cueillant directement sur l'arbre, que ce mignon petit fruit désormais si courant cache encore sous sa belle robe jaune quelques mystères qui sont loin d'être résolus. D'où nous vient-il ? Quelles sont ses véritables origines ? Comment est-il apparu ?…

Malgré les nombreuses recherches qu'ils mènent depuis de longues années, botanistes et historiens de la gastronomie en sont toujours réduits aux théories et aux supputations. À ce sujet, les certitudes ne sont pas encore de mise, même si quelques hypothèses semblent sortir du lot de l'ensemble des idées avancées. L'une d'entre elles voudrait que le citron jaune tel que nous le connaissons soit en fait issu d'une hybridation entre le cédrat, le pamplemousse et le citron vert. Voilà, en tout cas, une théorie reprise par de nombreux botanistes. Quant aux origines géographiques du fruit…

Sur ce plan aussi, les opinions divergent. Pour certains, ce serait l'ancienne Birmanie, désormais connue sous le nom de Myanmar (ou, pour être complet, la République de l'Union du Myanmar) qui serait le berceau du citron. D'autres lui préfèrent l'archipel malais. Mais on parle aussi de l'Inde ou de la Chine. Et du Cachemire, où il aurait poussé à l'état sauvage et où il aurait déjà été utilisé par les Hindous, il y a environ trois millénaires de ça. Bref, même si les théories succèdent aux supputations quant au lieu d'origine précis du citron, tout le monde semble se montrer d'accord pour affirmer qu'il vient de l'Asie ou du Sud-Est asiatique, voire même des premiers contreforts de la chaîne himalayenne.

Sur les pistes du monde

La suite de l'histoire est nettement mieux connue ; le citron ayant accompagné les hommes au fil de leurs caravanes commerciales qui sillonnent, depuis la nuit des temps, les routes et les pistes du monde entier. Si l'on prend le Cachemire pour lieu d'origine du fruit, celui-ci aurait tout d'abord pris la direction de l'est, pour partir à la conquête de la Chine où on l'appelait « limung ». Puis il aurait suivi les caravanes partant vers l'ouest pour atteindre la Perse et la Mésopotamie dans un premier temps, puis l'ensemble du Bassin méditerranéen où il a été introduit par les conquérants et les dynamiques marchands arabes qui le connaissaient sous le nom de « laymûn ». Bien en avance sur les peuplades occidentales, les Arabes connaissaient depuis longtemps les diverses vertus et les nombreuses propriétés du citron. Et ils en maîtrisaient parfaitement l'usage, notamment au niveau thérapeutique. D'ailleurs, le très célèbre médecin Avicenne (philosophe, écrivain et scientifique iranien, de son véritable nom Abu Ali Husayn ibn 'Abd Allah ibn Sina, Avicenne vécut entre 980 et 1037. Il fut l'un des meilleurs médecins de son époque et nous a laissé un très grand nombre d'ouvrages scientifiques, écrits tantôt en arabe classique, tantôt en persan, qui couvrent toute l'étendue du savoir scientifique de son époque) l'utilisait d'abondance dans le traitement des diarrhées, pour atténuer l'effet de certains poisons…

Sur les rives de la Méditerranée

En atteignant les rivages méditerranéens, le citron a véritablement trouvé un terroir à sa convenance. Tant sur un plan climatique que pour sa culture. Il ne faut donc pas s'étonner du fait que les populations méditerranéennes y aient très vite pris goût et qu'elles l'aient utilisé dans de nombreux domaines de la vie quotidienne.

Ainsi, par exemple, les Grecs de l'Antiquité s'en servaient abondamment le citron pour la décoration et l'ornementation des maisons, mais également pour parfumer les pièces d'habitation ou en chasser les insectes. Aujourd'hui encore, les Grecs, qui l'appellent « lemoni », en font une très grande consommation culinaire. Notamment pour la préparation d'une sauce « avgolemono » (une sauce à base d'œufs frais et de citron) tout à fait extraordinaire et pour celle d'une succulente soupe du même nom. Il agrémente aussi d'innombrables salades et remplace souvent le vinaigre. Quant à sa culture… Est-ce un hasard si la Crète est, aujourd'hui encore, « le jardin d'agrumes de la Méditerranée », faisant notamment la part belle aux orangers et… aux citronniers ?

En Égypte aussi...

Pour leur part, les Égyptiens privilégiaient une autre utilisation du citron : le fruit entrait dans le processus de momification et les archéologues ont également retrouvé des citrons (ainsi que quelques autres fruits) dans de nombreux cercueils ; ces denrées accompagnant les morts dans leur voyage vers l'« autre rive ». Mais les Égyptiens utilisaient aussi la pulpe du fruit comme antidote à divers poisons (des études scientifiques récentes ont d'ailleurs confirmé cette propriété du citron et donc ce que les Égyptiens de l'Antiquité savaient depuis bien longtemps…).

Enfin, les Romains appréciaient, eux aussi, le citron. Ou plutôt le « citrus » comme ils l'appelaient alors. Quelques fresques retrouvées à Pompéi témoignent de son utilisation. Et certains historiens vont même jusqu'à affirmer que l'empereur Néron lui-même était un grand amateur de ce fruit qu'il surnommait « pomme jaune ». S'il s'est implanté dans de nombreuses régions d'Italie, le citron est surtout cultivé en Sicile. Une fois de plus, c'est aux Arabes que l'on doit l'importation des premiers citronniers sur l'île italienne où ils trouvent d'ailleurs un terrain particulièrement favorable à leur bon développement. Mais il faut attendre le XVIIe siècle pour que les arbres y soient cultivés de manière plus intensive, grâce notamment à l'action des Jésuites.

Cela étant, les historiens ne se montrent, une fois de plus, pas d'accord entre eux. Certains affirment que les Romains connaissaient le citron jaune. D'autres pensent plutôt qu'il s'agissait d'un autre fruit assez proche : le cédrat.

Du citron au cédrat… ou l'inverse…

≈≈≈≈≈

Fruit du cédratier (Citrus medica L.)*, une espèce voisine du citronnier, le cédrat est bel et bien fort proche du citron. À une différence essentielle près : la pulpe de ce gros fruit qui peut peser jusqu'à 4 kg est beaucoup moins acide que celle du citron, mais aussi nettement moins juteuse. Son zeste, par contre, est généreusement parfumé.*

Si, dans des périodes assez lointaines, le cédrat était largement utilisé, et parfois encore plus que le « vrai » citron jaune, il n'en est plus de même aujourd'hui. De nos jours, le zeste du cédrat est encore utilisé pour la fabrication de la cédratine (une boisson alcoolisée relativement confidentielle) ou pour la confection de certaines confitures. Il est aussi quelque peu utilisé en confiserie et en pâtisserie. Enfin, l'essence de cédrat est employée en parfumerie.

À l'heure actuelle, sa production se concentre essentiellement dans trois zones du monde : le Maroc, la Chine et l'Amérique du Sud. Quelques rares vergers subsistent encore en Corse, derniers témoins d'une époque plus glorieuse et fastueuse : le cédrat de Corse est en effet cultivé dès le XIXe siècle sur l'île de Beauté, dans des vergers installés en terrasses, bien abritées des vents. À l'époque, la production corse, considérée alors comme la plus importante du monde, était surtout destinée à l'industrie italienne du fruit confit.

Le citron part à la conquête du monde...

Une fois bien implanté dans diverses zones du Bassin méditerranéen – et notamment en Crète, en Sicile, dans la région de Gênes ou en Espagne –, le citron part bientôt à la conquête du monde.

Il prend tout d'abord le chemin du Nord, embarqué sur les navires de commerce afin de préserver la santé des marins. Dans les régions d'Europe septentrionale, il est vite considéré comme un fruit précieux, voire essentiel dans le domaine thérapeutique. Ce qui explique qu'il est alors acheté et vendu à des prix élevés, voire même prohibitifs pour l'époque.

Le citron et le scorbut

Les grands voyages d'exploration menés, notamment, par les navigateurs espagnols et portugais sont rarement des parties de plaisir et relèvent plutôt de l'aventure la plus téméraire. Même si, parfois, quelques îles paradisiaques pointent le bout de leurs palmiers après bien des semaines, voire des mois de navigation. À l'époque, l'un des principaux dangers guettant les marins – outre les tempêtes, le manque de vent, les pirates et autres flibustiers – est une maladie aussi redoutée que redoutable : le scorbut.

Deux chiffres suffisent à mesurer les ravages qu'elle cause au sein des équipages… En 1535, 25 des 110 hommes embarqués pour la seconde expédition de Jacques Cartier au Canada meurent de cette maladie. Et quelques années plus tard, en 1600, un rapport officiel de la marine britannique indique que pas moins de dix mille marins anglais sont morts de cette maladie au cours des vingt années précédentes.

Le scorbut est essentiellement causé par une grave carence en vitamine C ; carence qui se traduit chez l'homme par le déchaussement des dents, la purulence des gencives, des hémorragies et… la mort. Les autres symptômes sont une grande fatigue, des ecchymoses très nombreuses sous la peau, des œdèmes aux membres…

En 1747, le médecin écossais James Lind, embarqué à bord du HMS Salisbury, remarque qu'il est possible de lutter efficacement contre le scorbut en consommant force oranges et citrons, extrêmement riches en vitamine C. Il devient ainsi un véritable pionnier de l'hygiène dans la marine royale britannique. Suite à cette découverte, la Royal Navy décide d'allouer une ration quotidienne de jus de citron à ses marins. Avec d'excellents résultats sur la santé des hommes. D'une manière plus générale, tous

> *les navires commencent alors à embarquer des cargaisons d'agrumes – et notamment de citrons – afin de préserver la bonne santé et le dynamisme de leurs équipages.*

Solidement implanté en Méditerranée et désormais connu dans le nord de l'Europe, le citron est aussi embarqué sur les navires des navigateurs espagnols et portugais qui partent à la « découverte » ou, à tout le moins, à la conquête du Nouveau Monde.

En 1483, Christophe Colomb est en partance pour une deuxième expédition vers Haïti. Dans les cales de ses navires, entre bien d'autres produits et denrées, on trouve des précieux citrons. Pour ces derniers, Haïti sera une porte d'entrée, une excellente base de départ vers l'ensemble du continent américain, et essentiellement nord-américain. L'implantation du fruit en Amérique du Sud est due, quant à elle, aux Portugais.

Le citron dans le monde et en Europe : des chiffres impressionnants

On estime que la production mondiale actuelle de citrons tourne aux alentours de dix millions de tonnes. Certes, c'est *bien moins que la production mondiale d'oranges, mais le chiffre n'en demeure pas moins assez impressionnant. Les principaux producteurs (en termes quantitatifs et non par ordre qualitatif) sont les États-Unis, l'Italie, l'Espagne, le Mexique, l'Inde et l'Argentine.*

Sur un plan plus spécifiquement européen, l'Italie se maintient depuis longtemps sur la première marche du podium (grâce, notamment, aux vastes plantations siciliennes et génoises) avec l'Espagne, qui est aussi le premier exportateur mondial de citrons : ces deux pays assurent près de 90 % de la production du Vieux Continent.

La France se classe bien loin de ces deux « poids lourds » européens : la production nationale n'excède pas quelques centaines de tonnes annuelles, essentiellement centrée dans le sud du pays (Côte d'Azur et Corse).

D'abord un usage thérapeutique

En dépit de son intense parfum, de la saveur de son zeste et de l'agréable acidité de son jus, le citron n'est pas utilisé prioritairement comme un ingrédient culinaire. Ce sont plutôt ses vertus thérapeutiques qui, historiquement, sont d'abord mises en évidence. Et il faut attendre le XVIIIe siècle pour qu'il passe de la pharmacie à la cuisine. Il commence alors à être utilisé pour apporter une petite note gustative supplémentaire aux aliments et aux préparations. Mais on s'aperçoit dans le même temps qu'il assure aussi une meilleure conservation de nombreux produits.

À partir de ce moment, l'engouement pour ce fruit hors du commun ne cessera d'augmenter. Et ses utilisations ne cesseront de se diversifier : médecine douce et naturelle, cuisine, soins de beauté, entretien général de la maison…

Lime et citron : en feuilletant le dico…

Ce n'est qu'en 1398 qu'apparaît le mot « citron » directement dérivé du latin « citrus ». Jusqu'alors, le fruit était appelé « limon », dérivé pour sa part du persan « limun ». « Limon » d'où est d'ailleurs dérivé le mot « limonade ».

Quant au mot « lime », qui désigne habituellement le citron vert, il fait son apparition près de deux siècles plus tard, en 1555. Il est dérivé d'un mot provençal, « limo ».

Un citronnier ou des citronniers ?

Si vous prenez la peine de jeter un coup d'œil aux étals des marchands de fruits et aux caisses de citrons jaunes qui s'empilent tout au long des marchés, vous remarquerez aussitôt que les fruits se ressemblent tous. Cela en devient totalement désespérant. Une morne uniformité et une assommante monotonie sont donc désormais de rigueur. Malheureusement !…

Il est aussi regrettable que dramatique de constater que, une fois de plus, la légitime liberté de choix des consommateurs est mise à mal par les diktats imposés par les multinationales actives dans le domaine agroalimentaire ; multinationales désormais plus connues pour l'impact désastreux de leurs méthodes de culture sur l'environnement naturel et la santé humaine que pour leur déontologie ou leur respect de l'agriculteur et du consommateur.

Pour de vulgaires et mercantiles raisons étroitement liées à une rentabilité maximale et à l'augmentation constante des dividendes des actionnaires, ces multinationales ne cultivent et ne produisent plus qu'une toute petite poignée de variétés de citrons jaunes alors que, à la base, le choix est pourtant d'une extraordinaire et délicieuse diversité. Au final, le consommateur se voit donc contraint de se rabattre sur des citrons aseptisés, dépourvus de cette agréable acidité naturelle, calibrés, et traités à outrance par une palette de substances chimiques qui sont aussi dangereuses et toxiques pour l'environnement naturel que pour la santé humaine : engrais et pesticides chimiques, fongicides, cire... Bref, des produits « industriels », dans ce que ce terme peut avoir de plus péjoratif, comme seules les multinationales du secteur peuvent tenter de les imposer aux consommateurs. Au mépris d'une élémentaire liberté de choix des clients et aux dépens de toute valeur gustative ou sanitaire.

C'est d'autant plus dommage qu'il existe un très grand nombre de variétés de citrons. Toutes, cependant, descendent du *Citrus limonium* que l'on connaît mieux sous le nom commun de « citronnier ».

En fonction des diverses variétés, les citrons arborent des formes plus ou moins ovales ou rondes, des écorces plus ou moins fines ou épaisses, une quantité plus ou moins importante de pépins... La teneur en jus et le taux d'acidité varient, eux aussi, d'une variété à l'autre.

Une multitude de variétés

Parmi les variétés les plus connues et les plus réputées, on peut notamment mentionner le très juteux « primofiore » (également connu sous le nom de « citron d'hiver »), le « limoni » qui présente une jolie peau très fine ou le « verdeli » qui est cependant moins parfumé et moins juteux que les deux précédents.

À ces grandes variétés classiques, on peut encore en ajouter bien d'autres qui, si elles sont peut-être moins connues, n'en restent pas moins tout à fait dignes d'intérêt : l'« interdonato » sicilien, le « femminello » italien… et, bien entendu, le célèbre citron de Menton auquel la cité azuréenne a même consacré un festival. Il s'agit d'un fruit de beau calibre, présentant une peau relativement épaisse et assez irrégulière, doté d'une acidité un peu moins forte que d'autres variétés. Aux étals, il est généralement très facile à reconnaître : il est l'un des rares citrons à être vendu avec quelques feuilles.

Menton fait la fête au citron !

Chaque année depuis environ quatre-vingts ans, la Fête du Citron met la petite ville de Menton en effervescence. Pour l'occasion, jardins, cours, rues, terrasses, balcons… se parent des chaudes couleurs jaune et orange des agrumes préférés des habitants.

La Fête du Citron se situe résolument dans la droite lignée des grands carnavals traditionnels, en lui apportant cependant une indéniable touche d'originalité qui contribue à en faire le charme : les chars et les structures monumentales sont exclusivement décorés d'oranges et de citrons. Des chars joliment colorés qui donnent une merveilleuse réplique à un programme particulièrement haut en couleur : des corsos sur la Promenade du Soleil, les jardins Biovès à chaque fois revisités pour l'occasion, des corsos nocturnes complétés par des fanfares, des soirées théâtrales et un feu d'artifice, un Salon de l'artisanat qui met en exergue une multitude incroyable de produits dérivés du citron (des confitures, des liqueurs, des savons, des parfums, des gelées…), des exceptionnelles collections d'agrumes présentées dans le cadre magnifique des jardins du Palais Carnolès…

Historiquement, ce sont les hôteliers locaux qui eurent l'idée d'organiser une grande manifestation afin d'égayer l'hiver dans la cité méditerranéenne. C'était en 1895. Peu à peu, face au succès de l'initiative, l'idée de mettre en valeur l'un des plus beaux produits locaux – le citron, bien sûr – fait son chemin. Et dès 1934, la Fête du Citron est institutionnalisée, organisée traditionnellement vers la fin février-début mars.

Quelques chiffres pour illustrer l'ampleur de l'événement mentonnais : 300 personnes participent à la fête qui accueille chaque année près de 200 000 visiteurs. Environ 130 tonnes d'agrumes sont utilisées, sachant qu'il faut 30 kg de fruits – soit près de 200 oranges ou citrons – pour couvrir un seul mètre carré de grillage.

Et pourquoi ne pas cultiver vos citronniers ?

S'il est extrêmement facile de s'approvisionner en citrons tout au long de l'année – dans les boutiques spécialisées en alimentation biologique, au marché, chez le marchand de fruits et légumes, dans les épiceries ou même en grande surface –, il est cependant beaucoup plus amusant de les cueillir sur l'arbre, au fur et à mesure de vos besoins.

Si vous avez envie de planter des citronniers dans votre jardin, sachez que vous êtes loin d'être le seul dans le cas : il s'agit sans le moindre doute possible de l'agrume le plus vendu, représentant à lui seul près de 80 % des agrumes vendus en pépinières.

Il n'y a rien de vraiment étonnant à cela : outre la beauté du citronnier, il s'agit surtout d'un arbre relativement facile à planter et à soigner, qui offre une floraison aussi géné-reuse que parfumée, ainsi que des fruits aussi jolis que déli-cieusement comestibles. Sachant tout cela, pourquoi donc devrait-on résister à son envie d'en planter ?

Si l'aventure vous tente, voici en résumé les grandes étapes de la plantation et de l'entretien de vos citronniers :

1. La présentation de l'arbre

Le citronnier est un arbuste au feuillage persistant, dont la hauteur peut atteindre près de 10 mètres (mais généralement pas plus de 3 mètres lorsqu'il est cultivé en pot). Il est essentiellement cultivé dans les régions bénéficiant d'un climat de type méditerranéen, même s'il peut s'adapter – moyennant certaines conditions – sous d'autres cieux quelque peu moins cléments.

Il arbore de superbes feuilles vert foncé, ovales et luisantes sur le dessus. Sa floraison généralement généreuse fait apparaître de ravissantes petites fleurs blanches. Les fruits, quant à eux, sont tout d'abord vert foncé (mais ne doivent pas être confondus avec les « vrais » citrons verts) et deviennent jaunes en grossissant et en mûrissant. Avantage supplémentaire de ce bel arbre : il est l'un des rares à pouvoir fructifier plusieurs fois dans l'année avec une égale générosité.

2. La plantation de l'arbre

Planté dans le jardin d'agrément (où il sera souvent d'un superbe effet) ou dans le verger, peu importe : le citronnier apprécie toujours un mélange de terreau et de terre de jardin, ainsi qu'un sol neutre (voire légèrement acide), frais, bien drainé et léger.

Comme il est originaire de régions au climat particulièrement clément, le citronnier demande une exposition ensoleillée (une exposition plein sud est idéale), à l'abri du vent. Des arrosages réguliers sont nécessaires en été.

Autre exigence : il aime être planté isolément car il n'apprécie que modérément les autres plantes qui peuvent lui faire concurrence.

La meilleure période pour le planter est l'automne.

3. La multiplication de l'arbre

La méthode de multiplication d'un citronnier comprend deux étapes : les semis au chaud, puis la greffe d'un rameau de 2 ans. Cette greffe peut être en fente (effectuée en août ou en septembre) ou en écusson (réalisée en mai ou en août).

4. La taille de l'arbre

Sur un citronnier relativement grand ou déjà bien formé, la taille peut se résumer à un simple entretien : éliminez les branches mal orientées et aérez un peu l'intérieur de l'arbre.

Un arbre bien vigoureux doit être taillé assez légèrement tandis qu'un arbre plus chétif demande une taille plus sévère.

Dans tous les cas de figure, une taille s'effectue toujours après la récolte des fruits car les fleurs et les fruits poussent sur le bois de l'année.

Bonne nouvelle : le citronnier étant à croissance rapide, une erreur de taille peut facilement être corrigée assez vite, sans attendre l'année suivante.

5. L'entretien courant de l'arbre

Les principaux ennemis du citronnier installé en pleine terre sont l'araignée rouge et la cochenille.

Une précaution : la terre au pied de l'arbre ne doit pas être bêchée car les racines sont superficielles. Il est donc préférable d'éliminer les mauvaises herbes à la main ou grâce à un léger binage.

Des feuilles qui jaunissent ou qui se tournent vers le bas indiquent un excès d'eau : il est temps de limiter quelque peu les arrosages. Par contre, des feuilles orientées vers le haut signalent un manque d'eau qui doit, lui aussi, être rapidement rectifié.

Des feuilles pâles sont un appel de l'arbre : il veut un apport d'engrais. Des feuilles noircies indiquent plutôt que l'arbre a subi un coup de froid.

Un citronnier qui a du pot !

Mais vous ne possédez peut-être pas de jardin. Et vous vous désolez parce que vous trouvez les citronniers ravissants. Voilà donc une excellente nouvelle : le citronnier aime aussi être cultivé en pot ! Et il aura à cœur, si vous vous en occupez bien, d'agrémenter et d'enjoliver terrasses et vérandas avec son superbe feuillage, ses jolies petites fleurs, ses savoureux fruits ou son délicat parfum.

Historiquement, ce sont les grandes orangeries qui ont accueilli les premiers citronniers en pot. Chez vous, l'orangerie prendra place dans la véranda, le hall d'entrée ou même la serre (à condition de ne pas trop chauffer cette dernière, tout en y maintenant une température supérieure à 0 °C en hiver).

Cela dit, si elle n'est pas très difficile, la culture en pot possède quand même quelques spécificités et a quelques exigences :

• les citronniers sont disponibles presque tout au long de l'année chez les pépiniéristes. Ils sont la plupart du temps vendus en conteneur. L'idéal est de les rempoter le plus rapidement possible après l'achat, de préférence dans un pot en terre cuite ou dans un bac en bois adapté ;
• le substrat type se compose d'un bon terreau, d'un peu de terre de jardin et de sable grossier, selon des proportions

respectives de 70 %, 20 % et 10 %. Ce mélange va assurer un excellent drainage ;

• les arrosages devront être réguliers et même fréquents en période estivale. Ils seront cependant plus espacés pendant la période de repos hivernal. Le point le plus important est de veiller à ce que le substrat des plantes ne sèche pas. Petit conseil supplémentaire : le meilleur arrosage est lent et abondant, de sorte que la motte de terre soit complètement imbibée. L'eau de pluie doit être privilégiée dans toute la mesure du possible car l'eau de distribution est malheureusement souvent trop chlorée et trop calcaire ;

• des apports d'engrais ne sont jamais à négliger. Demandez à votre pépiniériste un engrais de type « 15-15-15 ». Ce qui signifie que ses principaux composants – azote (N), acide phosphorique (P) et potassium (K) – sont parfaitement équilibrés. Le plus facile est d'utiliser un engrais soluble, et de l'intégrer lors d'un arrosage sur deux ;

• le rempotage régulier du citronnier est essentiel car la plante en pot ne peut pas puiser dans le sol les éléments nutritifs dont elle a impérativement besoin. Ce rempotage s'effectue au printemps, tous les deux ou trois ans ;

• le citronnier adore le soleil (une exposition sud est donc idéale), mais redoute les vents violents et les grands froids. Si vous tenez à la survie de vos arbres, mettez-les à l'abri pendant l'hiver dans un endroit qui les préservera du gel tout en ménageant une baisse des températures qui conditionne l'entrée en repos végétatif. Idéalement, cet endroit (garage, hangar…) devra être non chauffé (la proximité d'une source de chaleur – radiateur, feu ouvert, poêle à bois… – pourrait assécher l'arbre), avec de belles ouvertures ménagées au sud offrant une indispensable luminosité. Au printemps, dès que les beaux jours reviennent et que les températures ont tendance à devenir plus clémentes (tout risque de gel a disparu), sortez vos citronniers de leur abri hivernal et installez-les en situation ensoleillée et abritée des vents ;

• comme tous les végétaux, le citronnier est susceptible de subir attaques de parasites et maladies. Et cela d'autant plus que les pucerons, cochenilles, aleurodes et autres aca-riens ont tendance à proliférer dans une atmosphère chauf-fée et/ou confinée. Pour éviter le recours aux insecticides chimiques qui font encore plus de tort aux plantes, à votre santé et à l'environnement naturel qu'aux parasites eux-mêmes, privilégiez un toilettage régulier des feuilles en uti-lisant, tout simplement, de l'eau claire additionnée d'un peu de savon noir ;

• même si un citronnier en pot donne généralement moins de fruits qu'un citronnier planté en pleine terre, la récolte est toujours un moment amusant, voire émouvant. Celle-ci s'effectue habituellement entre novembre et mars. Les fruits ne peuvent être cueillis qu'à partir du moment où ils se détachent facilement de la branche.

Les 5 clés de la réussite

La culture d'un citronnier n'est pas vraiment difficile et repose essentiellement sur cinq principes qui garantissent la réussite de cette culture :

• que ce soit en pleine terre ou en pot, une bonne exposition est primordiale, si possible plein sud, avec soleil direct et beaucoup de lumière. Sous serre ou en véranda, il est cependant prudent d'ombrager quelque peu pour éviter les brûlures (les vitres font office de loupe) ;

• dans le cas de la culture en pot, un rempotage tous les deux ans environ est indispensable (un surfaçage peut être réalisé pour les plus gros sujets) ;

• le citronnier réclame dans tous les cas un sol bien drainé et léger ;

• un apport régulier d'engrais biologique est nécessaire pour les citronniers cultivés en pot ;

• les arrosages doivent être mesurés : leur excès comme leur manque peuvent nuire à la plante. Entre les mois d'octobre et de février, pendant la période de repos hivernal, ces arrosages doivent être espacés et modérés.

Bien choisir ses citrons

Comme c'est toujours le cas, et encore plus quand il s'agit de quelque chose d'aussi important et même vital que des produits alimentaires, c'est la qualité qui doit guider vos achats. Il ne sert à rien d'acheter « pas cher » ou en promotion, si c'est pour avoir dans son caddie ou son cabas des produits de qualité douteuse, qui ne se conserveront pas ou dont vous devrez jeter une partie une fois de retour à la maison. Ce sont là de fausses économies... qui finissent par vous coûter très cher. On oublie souvent qu'acheter un produit bon marché et de mauvaise qualité pour devoir en jeter la moitié double son prix d'achat.

Dans le cas des citrons, comme d'ailleurs pour l'ensemble des produits alimentaires, l'idéal est de choisir des produits qui n'ont pas été empoisonnés par des engrais et autres pesticides chimiques, mais qui n'ont pas été traités non plus par des fongicides et autres cires non naturelles qui ne valent guère mieux, sur le plan sanitaire, que les substances toxico-chimiques utilisées à outrance par les agricultures traditionnelle et soi-disant raisonnée.

Attention aux mentions trompeuses !

Ce n'est plus un secret pour personne : les multinationales de l'agroalimentaire ont le génie pour trouver des mentions volontairement équivoques destinées à tromper le consommateur.

Bien entendu, si vous privilégiez des citrons de qualité biologique, le risque de tromperie est extrêmement limité. À condition que vous accordiez une légitime confiance aux labels les plus sérieux (« AB Agriculture Biologique » ou « Demeter », notamment) ainsi qu'aux certifications les plus rigoureuses (Ecocert…). Par contre, la méfiance est de mise face au logo vert et bleu « Agriculture biologique » européen. En effet, ce logo n'est destiné qu'aux produits qui répondent aux normes pseudo-biologiques européennes ; celles-là mêmes qui autorisent une contamination OGM des denrées biologiques. Ce qui est bien sûr une hérésie, mais témoigne également du total mépris des législateurs européens pour la volonté affichée et la santé des consommateurs européens.

Cela étant, les plus grandes sociétés du secteur agroalimentaire s'entendent pour trouver des mentions qui, si elles sont malheureusement inattaquables sur le plan légal, n'en sont pas moins délibérément trompeuses. Le but premier étant de vendre des produits empoisonnés par les produits chimiques *en les faisant passer pour des denrées quasiment saines. Ainsi, la mention « produit naturel » ne signifie strictement rien. Et la mention « produit non traité après récolte » signifie juste que le citron n'a pas été traité par des cires et des fongicides après sa récolte. Par contre, il a bel et bien été traité avant récolte par des engrais chimiques, pesticides toxiques... Il ne ressemble donc en rien à un fruit de qualité biologique certifiée.*

Si vous n'avez malheureusement pas d'autre choix que d'acheter des citrons non biologiques, il est prudent de les brosser sous une eau tiède courante avec un peu de savon de Marseille ou de liquide vaisselle biologique. Il suffit ensuite de les rincer à grande eau. Il est cependant important de souligner que, si cette élémentaire mesure de prudence possède une relative efficacité, elle ne parvient pas à éliminer tous les résidus de substances toxiques qui ont souvent pénétré jusqu'au cœur de la pulpe du fruit. Mais c'est tout de même mieux que rien.

Cela étant dit, qu'il s'agisse de citrons biologiques ou pas, il existe encore quelques petites astuces pour repérer les citrons qui répondent réellement à vos besoins, à vos attentes ou à votre goût :

• privilégiez les citrons qui présentent une écorce fine, bien brillante et lisse, arborant un beau jaune brillant. Privilégiez aussi les fruits bien fermes et lourds dans la main ;
• à l'inverse, refusez les citrons à peau épaisse et rugueuse car ils contiennent habituellement moins de pulpe et, par voie de conséquence, moins de jus ;
• si vous voyez des citrons jaunes qui présentent des taches vertes, cela signifie que leur taux d'acidité est plus élevé que celui des citrons uniformément jaunes. Il en est de même pour les citrons qui présentent une couleur jaune pâle ;
• les citrons verts doivent, pour leur part, être souples sous les doigts. Cela signifie qu'ils renferment beaucoup de jus ;
• un citron jaune assez foncé et terne est un vieux citron.

Une conservation très facile

Le citron ne se contente pas d'être un fruit délicieux et incontournable, aux multiples usages. Il présente en outre un attrait supplémentaire : sa conservation est très facile !

À température ambiante, les citrons jaunes se conservent sans le moindre problème pendant une dizaine de jours, dans une simple corbeille à fruits. Si vous désirez quelque peu allonger cette durée de conservation, il suffit de placer vos citrons dans le bac à légumes de votre réfrigérateur.

Pour une longue conservation (jusqu'à trois mois environ), il faut placer le citron dans un récipient rempli d'eau fraîche (à changer chaque jour) glissé dans le réfrigérateur.

Quelques astuces pour conserver un citron entamé

Pour conserver un citron entamé, voici quelques petites astuces qui vous seront utiles. À vous de choisir celle qui vous convient le mieux…

* *Plongez le citron dans un verre d'eau, partie coupée tournée vers le bas.*
* *Posez la partie coupée du citron sur une petite soucoupe garnie d'un peu de vinaigre blanc.*
* *Si le citron est zesté, plongez-le dans un petit bol d'eau (à changer chaque jour) et glissez celui-ci dans le réfrigérateur. Votre citron zesté conservera sa fraîcheur pendant une dizaine de jours encore.*

Limes et autres fruits similaires

Pour être complet, il faut encore savoir que le citron jaune a de la compagnie. Notamment celle du citron vert que l'on connaît aussi sous le nom de « lime » ou de « lime acide ».

Si, globalement, il s'apparente de très près au citron jaune, le citron vert – originaire de zones plus tropicales telles que les Antilles, la Côte d'Ivoire ou le Mexique notamment – présente néanmoins plusieurs différences marquantes : il est généralement plus rond, arbore une écorce du plus beau vert et est totalement dépourvu de pépins. Il est également très parfumé, ce qui ne gâche rien.

Des citrons... ou presque...

Il existe aussi quelques autres fruits qui, tout en ayant des similitudes avec le citron jaune classique, possèdent pourtant leurs propres spécificités. Et notamment :

- la limette sauvage, surtout utilisée comme condiment ;
- la lime musquée, principalement utilisée dans les cuisines asiatiques. Le nom de ce fruit est trompeur car, loin de ressembler à un citron vert, il est plutôt issu d'une hybridation entre la mandarine et le kumquat ;
- le cédrat, qui est probablement le plus proche du citron, tout en ayant une pulpe nettement moins acide. En Toscane, on le surnomme « pomme du paradis ».

Citron : bon pour tout,
bon pour tous

La toute première chose à savoir en ce qui concerne le citron est que, selon le dicton bien connu, il ressemble au... cochon : dans le citron, tout est bon ! Écorce, pulpe, huile essentielle... autorisent mille et un usages et possèdent chacune des particularités et des attraits spécifiques. Écologique et économique, il est aussi généreux et multifonctionnel. S'il est excellent pour la santé comme on le sait depuis des millénaires, le citron est également intéressant pour le bien-être général de la personne et pour les soins de beauté. Il est aussi indispensable dans toute la maison, et pas uniquement en cuisine où il reste tout à fait incontournable.

Que peut-on vouloir de plus ?

Du zeste au ziste : le citron en 4 parties

Le citron se décompose en quatre parties distinctes : le zeste (ou écorce), le ziste, la pulpe (ou chair) et l'huile essentielle.

• le zeste est l'écorce aromatique du fruit. Il est généralement fort parfumé car chargé en huile essentielle. Ce zeste est bien entendu largement utilisé en cuisine (pour aromatiser ou décorer diverses préparations) et peut être utilisé frais, tout juste prélevé, séché à l'air libre ou confit ;

• le ziste est la fine peau blanche qui se situe entre le zeste et la pulpe du fruit. Il est extrêmement amer ;

• la pulpe est très riche en vitamine C notamment. De cette pulpe, on extrait le jus employé tout aussi bien pour se soigner que pour se désaltérer ou aromatiser une préparation gastronomique ;

• l'huile essentielle est un antiseptique extrêmement puissant qui s'attaque aux bactéries, aux parasites, aux virus… On peut raisonnablement affirmer qu'elle purifie tout sur son passage, même si quelques précautions d'utilisation restent de mise. Nous y reviendrons plus loin.

Un must nutritionnel

De tous les fruits qu'il est possible de trouver et de consommer, le citron est certainement celui qui présente le plus de propriétés nutritionnelles intéressantes.

Composé à 90 % d'eau, il est extrêmement peu calorique, mais regorge de fibres, de vitamines (c'est le fruit le plus riche en vitamine C), d'oligoéléments, de minéraux… indispensables à notre bonne santé et à notre « pleine forme ».

Les principales valeurs nutritionnelles du citron

❧❧❧

(pour 100 g de fruits biologiques, en moyenne)
Eau : 90 %
Calories : 19 kcal
Vitamine C : 52 mg
Lipides : 0,3 g
Protéines : 0,7 g
Glucides : 2,5 g
Fibres : 2,8 g

Le champion de la vitamine C

Tous les agrumes (orange, pamplemousse, pomelo...) sont riches en vitamine C. Mais, avec une moyenne de 52 mg pour 100 g de fruit, le citron les bat tous. Il s'agit bien sûr d'une valeur moyenne car, dans la réalité, un citron peut contenir entre 20 et 70 mg de vitamine C pour 100 g de fruits. Ce qui le positionne de toute façon parmi les fruits les plus généreux et les plus précieux en la matière. À un point tel que nombre de spécialistes estiment que le jus de deux citrons peut suffire à couvrir les besoins quotidiens d'un individu en vitamine C.

La présence de cette indispensable vitamine dans le citron est protégée par la peau du fruit, qui la contient. Ce qui fait que la précieuse vitamine est encore présente dans le fruit bien après la récolte.

Mieux connaître la vitamine C

Il est significatif de souligner tout d'abord que la plupart des mammifères peuvent synthétiser la vitamine C… À une notable exception près : l'homme qui a perdu cette fonction pourtant très importante au cours de son évolution. Il est donc nécessaire de la puiser quotidiennement dans les aliments que l'on mange. Notamment dans les fruits et les légumes colorés consommés crus ou cuits : le citron, bien entendu, mais aussi l'orange, le pamplemousse, la framboise, la fraise, la tomate, le brocoli, le poivron rouge, la betterave cuite, la mangue, la papaye… de préférence de qualité biologique.

Un seul bémol : l'eau, l'air et la chaleur peuvent détruire la vitamine C contenue dans les aliments. Pour la conserver, il est conseillé de cuire les légumes assez rapidement dans le moins d'eau possible. Une cuisson à la vapeur est tout à fait indiquée.

La vitamine C est d'autant plus importante qu'elle intervient de manière très significative dans des dizaines, voire des

centaines de processus dans l'organisme. L'une de ses princi-
pales fonctions est d'aider le corps à fabriquer le collagène,
une protéine essentielle à la formation du tissu conjonctif de
la peau, des os et des ligaments. D'autre part, elle contri-
bue aussi au maintien de la fonction immunitaire, active la
cicatrisation des plaies, participe à la formation des globules
rouges, lutte contre l'acidification de l'organisme, normalise
la pression sanguine et le taux de sucre dans le sang, protège
le cristallin, stimule les surrénales, augmente l'absorption du
fer contenu dans les végétaux...Elle a encore un effet antioxy-
dant qui protège les cellules contre les dommages infligés par
les radicaux libres.

Une carence en vitamine C peut être dramatique et même
entraîner le scorbut qui, heureusement, a aujourd'hui qua-
siment disparu. Pour contrer cette très grave maladie, un
apport quotidien de 10 mg de vitamine C suffit. Les personnes
qui consomment peu de produits frais sont susceptibles de
manquer de vitamine C. Quant aux fumeurs, ils ont un besoin
accru de vitamine C car, parmi ses multiples fléaux, le taba-
gisme a pour effet de réduire le taux de vitamine C dans
l'organisme.

Bien d'autres vitamines aussi…

Bonne nouvelle ! Le citron ne se contente pas d'être extrêmement généreux en vitamine C. Il contient encore bien
d'autres précieuses vitamines indispensables à l'organisme,
et notamment :

• plusieurs vitamines du groupe B, et surtout les vitamines
B1, B2, B6 et B9. Elles ont une action bénéfique sur la croissance, sur l'équilibre nerveux, sur la prévention des maladies cardio-vasculaires, sur la bonne santé de la peau… tout
en se révélant d'excellents antioxydants ;
• de la vitamine E (mais dans une proportion nettement
moindre), également considérée comme étant un précieux
antioxydant. Protégeant les cellules des attaques menées
par les radicaux libres, elle ralentit le vieillissement des cellules tout en contribuant à stimuler les défenses immuni-
taires de l'organisme ;
• du bêta-carotène qui a la particularité de se transformer
en vitamine A une fois qu'il est introduit dans l'organisme
humain.

Trio d'acides

Lorsque l'on évoque le citron, on songe bien entendu
immanquablement à l'acide citrique qui donne toute son
acidité au fruit. Même s'il est rapidement éliminé, cet acide
– qui représente environ 6 % d'un jus de citron frais – joue

un rôle prépondérant dans l'organisme humain, en favorisant notamment l'absorption du calcium au niveau de l'intestin. S'il est très présent de manière naturelle dans le monde végétal, et notamment dans tous les fruits en quantités variables, les scientifiques ont aussi réussi à le reproduire par voie de synthèse à un niveau industriel. Bien entendu, cet ersatz d'acide citrique naturel n'a absolument rien de comparable avec le véritable acide citrique : la valeur thérapeutique de l'acide citrique de synthèse est, au mieux, purement anecdotique, voire même totalement insignifiante. Il est utilisé (sous le sigle E330) dans de nombreuses préparations, notamment des confitures, diverses conserves ou des sodas.

À signaler que le citron recèle encore deux autres acides : l'acide ascorbique et l'acide malique.

Le premier est un acide organique qui possède d'intéressantes propriétés antioxydantes. Il est présent sous une forme particulière (la fameuse vitamine C !) dans les citrons, les jus de fruits frais et les légumes frais.

Le second est un acide carboxylique assez répandu dans le règne végétal. Si le citron en contient une certaine proportion, c'est cependant la pomme, la poire et le jus de raisin frais qui en recèlent la plus grande quantité. Il s'agit d'un conservateur organique.

Flavonoïdes et limonoïdes

Autres substances présentes dans le citron : les flavonoïdes qui sont des composés naturels présents dans les plantes et qui ont pour mission de leur donner de la couleur mais aussi d'assurer une efficace protection contre divers insectes.

Les principaux flavonoïdes présents dans le citron sont contenus dans le ziste (la partie blanche de la peau du fruit), mais sont pratiquement absents du jus du fruit. Ils ont pour noms : ériocitrine, hespérétine et quercitrine.

Dans l'état actuel des recherches (et même si l'ensemble des intérêts et bienfaits des flavonoïdes ne sont pas encore connus), on peut d'ores et déjà affirmer qu'ils jouent également un rôle antioxydant essentiel (ils combattent les radicaux libres et contribuent donc à protéger nos cellules). Ils possèdent en outre des propriétés anticholestérol, antiallergiques, anti-inflammatoires et antivirales. En outre, ils ont la réputation de favoriser la production d'insuline naturelle et de prévenir les principales maladies cardio-vasculaires.

De leur côté, les limonoïdes sont des composés actifs qui accentuent l'amertume de certains fruits. On les retrouve surtout dans les pépins des citrons (mais aussi dans les pépins de l'ensemble des agrumes), ainsi que dans le jus frais du fruit. Si on les soupçonne de fortifier efficacement le système immunitaire de l'organisme, on est par contre certain du fait qu'ils combattent le mauvais cholestérol ainsi que les radicaux libres.

Des fibres, dont la pectine

À l'image de tous les agrumes, le citron est une source de fibres solubles aussi généreuse que fiable. Ces fibres – parmi lesquelles on retrouve la célèbre pectine – se concentrent essentiellement dans le zeste et le ziste.

Facilitant le transit intestinal, les fibres permettent aussi de faire baisser le taux de mauvais cholestérol, réduisent l'incidence de certains cancers (et notamment le cancer du côlon) et procurent un sentiment de satiété (ce qui est bien entendu important dans le cadre d'un régime minceur raisonné et équilibré).

Sucres, oligoéléments et minéraux

Encore une excellente nouvelle : contrairement à bon nombre de fruits qui se montrent particulièrement riches en sucres, le citron ne contient, pour sa part, que de faibles quantités de glucose et de fructose. Il peut donc aisément être consommé par les personnes qui doivent surveiller leur taux de glycémie (dont les diabétiques).

Par contre, le fruit est d'une rare générosité en oligoéléments et en minéraux qui renforcent l'action des vitamines présentes dans le fruit. À ce sujet, il faut notamment mentionner le calcium (qui renforce les os et prévient la formation de l'ostéoporose), le cuivre (qui intervient dans la formation du collagène et de l'hémoglobine), le fer (qui intervient dans le processus de formation des globules rouges et favorise le bon transport de l'oxygène dans le sang), le magnésium (qui est absolument essentiel à notre équilibre nerveux et à notre système musculaire), le phosphore (qui intervient dans la composition des os et des dents, mais joue aussi un rôle important dans l'activité nerveuse ou musculaire), le potassium (qui intervient dans le processus de contraction des muscles et du cœur, mais qui est aussi essentiel pour le fonctionnement des reins) et le sodium (qui maintient un taux de pH stable dans le sang).

Une huile vraiment essentielle

Contrairement à bien d'autres huiles essentielles qui sont extraites par distillation à la vapeur d'eau, l'huile essentielle de citron est obtenue par la pression à froid du zeste du fruit. Pour obtenir 10 ml d'huile essentielle, il faut traiter environ 1 kg de fruits. Ce qui explique et justifie, bien sûr, un prix d'achat qui, s'il n'est pas prohibitif, n'en demeure pas moins relativement élevé.

Dotée d'un arôme d'une agréable fraîcheur et délicieusement fruité, cette huile essentielle possède de nombreuses applications thérapeutiques car elle est tout à la fois bactéricide, stimulante, anti-inflammatoire et fébrifuge. Elle se montre donc d'une réelle efficacité pour traiter la quasi-totalité des maladies respiratoires et hivernales. Comme elle a aussi la capacité de limiter fortement la propagation des maladies nosocomiales (c'est-à-dire celles que l'on contracte au sein du milieu hospitalier), il serait tout à fait opportun et judicieux qu'elle soit systématiquement diffusée dans les centres hospitaliers, les cabinets médicaux... mais également – pourquoi pas ? – dans les crèches et les écoles. Voilà qui protégerait naturellement et très efficacement les personnes sensibles : les malades, les convalescents, les enfants en bas âge... Mais rien n'empêche d'en diffuser aussi très régulièrement chez soi, à la maison (dans la cuisine, dans la pièce de séjour...), voire même dans les bureaux.

Effet psychologique

L'un des attraits de l'huile essentielle de citron est son odeur particulièrement agréable. C'est à ce point vrai que cette huile véritablement « pas comme les autres » possède également une subtile action psychologique. Reconnue comme étant un tonifiant et un stimulant naturels, elle se montre *capable de rassurer les personnes anxieuses ou angoissées, de combattre le stress ou la dépression légère, d'améliorer la qualité du sommeil…*

Par ailleurs, l'huile essentielle de citron permet aussi de combattre les problèmes digestifs, les problèmes d'excès de poids et de cellulite, les grippes, les problèmes circulatoires, les maux des transports, les piqûres d'insectes, la fatigue…

Dans d'autres domaines, elle entre aussi dans la composition de certains produits de parfumerie, de cosmétologie et d'hygiène corporelle : crème pour la peau, gel pour la douche, savon, lotions diverses, shampoing… avec un effet particulièrement bénéfique pour les peaux normales et grasses.

Enfin, si elle est aussi intéressante en cuisine (elle est parfaite pour parfumer boissons, pâtisseries, compotes ou confitures de fruits…), elle est encore d'une réelle utilité dans l'entretien de la maison : pour nettoyer un four, désodoriser un réfrigérateur, nettoyer des carrelages muraux (dans la cuisine et la salle de bains, notamment)…

Si elle est assez simple à employer, quelques précautions d'utilisation restent de mise… D'une manière générale, l'huile essentielle de citron peut être utilisée de trois manières différentes : en diffusion dans l'air ambiant, par voie interne (en l'incorporant à certaines préparations culinaires), ou en usage externe (par des compresses, en gargarisme…). Mais comme elle se positionne, *de facto*, comme un véritable concentré de tous les plus importants principes actifs du citron, elle doit être utilisée de manière plus précautionneuse que le jus de citron classique.

En pratique, plusieurs règles doivent être respectées lors de son utilisation :

• s'il est agréable et efficace de la diffuser, il est par contre totalement déconseillé de l'inhaler ;
• il ne faut jamais l'appliquer pure sur la peau car cette application risquerait de provoquer certaines irritations cutanées. Le plus efficace est de la diluer dans une huile végétale (l'huile d'olive vierge extra est parfaite, tout comme l'huile d'amande douce) ;
• il ne faut jamais en appliquer avant de s'exposer au soleil car elle pourrait faire apparaître des marques indélébiles. On conseille généralement de laisser passer au moins six heures entre une application d'huile essentielle de citron diluée sur la peau et la première exposition au soleil ;
• elle ne peut pas entrer en contact avec les muqueuses ou les yeux ;
• elle est généralement déconseillée (sauf avis favorable émanant d'un spécialiste) aux femmes enceintes, aux femmes qui allaitent et aux enfants en très bas âge (sauf diffusion dans l'air ambiant).

CITRON
BON POUR TOUT

Bien entendu, faut-il encore rappeler que, seules les huiles essentielles de qualité biologique certifiée sont à utiliser ?

Le citron :
santé, beauté, bien-être

Fort justement paré de mille et une vertus et propriétés bienfaisantes, le citron joue un rôle essentiel dans la préservation naturelle de la santé, mais également pour les soins de beauté et le bien-être général de la personne.

Citron et santé

Plus spécifiquement pour la santé, le citron est réputé posséder des vertus antivirales, anti-infectieuses, antirhumatismales, anti-inflammatoires, antioxydantes, antiseptiques et antiscorbutiques. À ces importantes propriétés, il faut encore en ajouter d'autres car le citron est aussi expectorant, fébrifuge, vermifuge, bactéricide, fluidifiant du sang, cicatrisant, diurétique, stimulant et digestif.

Grâce à ces nombreuses propriétés thérapeutiques dont beaucoup sont connues depuis les premières expéditions maritimes menées par les navigateurs espagnols ou portugais notamment, le citron est aussi intéressant au niveau préventif que curatif. C'est à ce point vrai que, même aujourd'hui, l'industrie pharma-chimique – pourtant peu encline à utiliser des sains produits naturels à l'efficacité prouvée – l'intègre d'une manière ou d'une autre à certains médicaments.

Bien entendu, le citron est le compagnon idéal de chacun pendant les (trop) longues périodes hivernales. Celles au cours desquelles grippes, fièvres, rhumes, maux de gorge… n'attendent qu'une petite faiblesse de notre part pour passer à l'attaque de notre organisme.

Une bonne nouvelle n'arrivant jamais seule, voici encore une information intéressante : sauf en cas de sensibilité aussi spécifique que rarissime, et en utilisation normale, le citron n'a absolument aucun effet secondaire indésirable, contrairement à un nombre effroyablement élevé de médications chimiques de plus en plus onéreuses. Quant à son efficacité… Il faut partir du principe avéré que le citron se montre d'une grande efficacité pour prévenir ou soulager d'innombrables maux de la vie quotidienne. Cela étant, chaque personne est bien entendu unique. Cela signifie que nous réagirons tous de manière différente à un remède au citron. Pour les uns, ce remède sera immédiatement efficace ; pour d'autres, les effets seront plus lents ou plus légers.

D'une manière globale, on peut cependant affirmer que le jus et le zeste (biologique !) de citron sont bons pour tous : depuis les enfants en pleine période de croissance jusqu'aux personnes plus âgées (et donc plus sensibles), en passant par les convalescents et les personnes fatiguées.

Citron et beauté

Que ce soit pour vos soins de beauté ou votre bien-être général, conservez toujours une petite corbeille de citrons biologiques dans… votre salle de bains ! Car, ici aussi, le citron se révèle être un allié particulièrement précieux.

D'une manière générale, le citron se montre excellent pour l'épiderme. À lui seul, il hydrate, adoucit, purifie et tonifie la peau. Soyons honnête : peu de produits issus de la cosmétologie chimique peuvent en dire autant. Quant à l'huile

essentielle de citron, elle permet de préserver l'élasticité et le tonus de la peau. Par voie de conséquence, elle prévient et retarde la formation des rides, ce qu'aucun produit cosmétologique n'est actuellement capable de réaliser de manière efficace, contrairement à ce que tentent de nous faire croire une multitude de publicités habilement retouchées par ordinateur.

Par ailleurs, le citron est aussi précieux pour les cheveux, les ongles, les dents, les peaux grasses, le teint…

Citron et entretien de la maison

Du sol au plafond et de la cave au grenier… On a parfois du mal à imaginer qu'un aussi petit fruit puisse rendre autant de précieux services dans toute la maison. Qu'il puisse épauler très efficacement le nettoyage quotidien : désodoriser une pièce et parfumer l'air, éloigner les petits insectes indésirables, faire disparaître une multitude de taches diverses comme par magie… Et beaucoup d'autres choses encore…

Depuis le milieu du XXe siècle, une industrie qui n'a pas la déontologie et le respect des consommateurs parmi ses priorités tente de nous faire croire que le « progrès » réside dans l'utilisation de produits chimiques dont les composants – indiqués sur les étiquettes en tout petits caractères bien difficiles à déchiffrer, mais entourés de toute une série de pictogrammes qui ont légitimement de quoi faire frémir – sont plus toxiques que réellement efficaces. Épaulés par des publicitaires qui mettent leur créativité et leurs trucages éhontés au service du plus offrant, ces industriels ont même essayé de faire croire à plusieurs générations de consommateurs que les produits naturels et les bons vieux remèdes « de grands-mères » dont l'innocuité et l'efficacité n'étaient pourtant plus à prouver étaient complètement dépassés. Et même franchement ringards.

Le résultat de cette stratégie pour le moins douteuse ? Une industrie chimique qui compte quelques-unes des plus riches et puissantes sociétés du monde. Mais aussi un nombre sans cesse croissant de cancers, d'affections respiratoires et cutanées, d'allergies… que l'on peut indubitablement et directement attribuer aux substances chimiques utilisées par les industriels et… autorisées par des législations (française et européenne notamment) qui, faut-il encore le souligner, font nettement plus de cas des bénéfices de ces sociétés et de leurs richissimes actionnaires que du bien-être réel et de la santé des citoyens. Chacun en tirera bien entendu les conclusions logiques qui s'imposent…

Depuis plusieurs années, cependant, la tendance commence à s'inverser. Et de plus en plus de consommateurs refusent désormais de se laisser intoxiquer et d'empoisonner leur environnement en utilisant ces douteux produits chimiques

pour retrouver avec beaucoup de bonheur des produits simples et naturels, économiques et efficaces. Pour retrouver aussi toute une série de remèdes « de bonnes femmes » dont l'efficacité et la simplicité ont parfois de quoi laisser pantois. Entre ces derniers, inoffensifs pour l'environnement et la santé mais dotés d'une réelle efficacité, et les dangereux et onéreux produits industriels, il n'y a aucune comparaison possible et le choix est évident.

Parmi tous ces produits que l'on redécouvre aujourd'hui, il y a le vinaigre, le bicarbonate de soude, l'argile... mais aussi le citron utile dans toute la maison. Et également en cuisine...

Citron et cuisine

En jus, en zeste, confit ou en rondelles, le citron jaune ou vert est présent dans quasiment toutes les cuisines du monde. De l'Europe méditerranéenne à l'Inde et du Maroc à l'Extrême-Orient.

Avec son apport calorique tout à fait dérisoire et la délicieuse note acidulée qu'il apporte, on l'associe bien sûr aux poissons et crustacés sous quasiment toutes leurs formes. Mais il peut aussi agrémenter un nombre incroyable d'autres préparations aussi bien salées que sucrées.

En outre, il rend encore d'innombrables services au cuisinier. Il empêche certains fruits et légumes épluchés de noircir. Le cas des champignons de couche est, à ce propos, bien connu. Mais il conserve aussi la jolie couleur des carottes, rehausse la saveur d'une salade de fruits frais, attendrit les chairs des volailles et des viandes, aide à faire monter des blancs d'œufs en neige, agrémente quantité de succulentes marinades, s'avère essentiel dans la réalisation de confitures et marmelades... Et, pour les amateurs, il y a même moyen de confectionner une bière « maison » au citron !

Trucs, astuces et remèdes

Beauté et hygiène du corps

Acné (combattre l')

1 citron jaune fraîchement pressé • thym frais et effeuillé • 2 tasses d'eau

Pour combattre efficacement l'acné, fléau de bien des jeunes filles et jeunes gens, il vous suffit de confectionner une lotion à base de jus de citron fraîchement pressé et de thym frais. Versez deux tasses d'eau dans une petite casserole et ajoutez-y un peu de thym, à volonté mais sans excès. Faites bouillir le tout pendant environ deux minutes, puis retirez la casserole du feu et laissez infuser, en couvrant la casserole de son couvercle, pendant un quart d'heure. À ce moment, filtrez soigneusement la préparation et incorporez-y le jus de citron.

À l'aide de cette lotion, rincez minutieusement votre visage matin et soir, jusqu'à amélioration notable.

Mes conseils en plus

Problème de peau relativement fréquent, l'acné peut gâcher la vie d'un(e) adolescent(e) de par son côté inesthétique. La plupart du temps banale, elle peut néanmoins nécessiter, dans certains cas, des traitements qui passent pour être assez contraignants et intensifs. Cette maladie de la peau qui affecterait, selon certains chiffres, plus de 70 % des adolescent(e)s, est causée par la conjonction de trois facteurs : la sécrétion excessive de sébum dans le follicule pileux qui se trouve à la racine des poils, l'obstruction du follicule et un développement bactérien à l'intérieur du follicule. Contrairement à certaines idées reçues, l'alimentation ne joue aucun rôle dans l'apparition et/ou le développement de l'acné (et cela même si une nourriture saine et équilibrée doit toujours être de mise). Pas plus que cette maladie n'est due à un manque d'hygiène (au contraire, certains « ados » aggravent l'acné en nettoyant les lésions de manière trop drastique et/ou avec des produits industriels agressifs et peu recommandés). Enfin, même si les lésions d'acné contiennent une petite bactérie, il ne s'agit en aucun cas d'une maladie contagieuse ou transmissible.

Il existe plusieurs remèdes naturels permettant de combattre efficacement l'acné. Certains privilégient le chlorure de magnésium, tandis que d'autres font la part belle au bicarbonate de soude. Dans le cas présent, l'acide citrique du citron possède la faculté d'assécher les boutons.

Autobronzant (confectionner son)

3 sachets de thé nature • 1/2 citron jaune fraîchement pressé • 50 cl d'eau

Bien sûr, vous trouvez dans le commerce de nombreux produits réputés autobronzants. Malheureusement, à de trop rares exceptions près, ces produits contiennent souvent des composants dangereux, peu compatibles avec la préservation de votre bien le plus précieux : votre santé. Et, dans tous les cas, ces produits se révèlent assez chers à l'achat et à l'usage. Est-ce pour autant une raison de ne pas s'offrir un excellent autobronzant ? Pas du tout ! Le tout étant de privilégier une préparation « faite maison »...

Versez un demi-litre d'eau dans une petite casserole et faites bouillir. Ajoutez-y alors trois sachets de thé nature et laissez infuser le tout pendant environ un quart d'heure. Incorporez ensuite le jus du demi-citron jaune.

Appliquez cette lotion autobronzante écologique et économique chaque soir, bien uniformément, juste avant d'aller dormir. Bronzage parfait garanti !

Mes conseils en plus

~~~~~~~~

Aujourd'hui plus que jamais, un beau hâle est toujours, dans l'esprit de très nombreuses personnes, synonyme de bonne santé, de beauté et de bien-être.

D'une manière générale, un autobronzant, quelle que soit son origine (industrielle, biologique ou « maison »), est un produit cosmétique destiné à créer un hâle temporaire et similaire à celui obtenu après une séance de bronzage, mais sans exposition au soleil. Il faut cependant souligner que ce hâle ne protège en aucun cas contre les rayons ultraviolets (UV) : il est donc fortement conseillé, surtout pour les personnes ayant la peau sensible, d'appliquer une crème solaire protectrice biologique avant toute exposition au soleil.

La plus grande majorité des produits autobronzants industriels contiennent de l'eau, des solvants chimiques, des émulsifiants, des conservateurs antibactériens, des acides de fruits, de l'huile de silicone et des actifs hydratants non gras. Plusieurs composants utilisés par les industriels sont fortement soupçonnés d'être dangereux pour la santé humaine, et ce à toutes les doses. L'avantage évident de l'autobronzant naturel « fait maison » à base de citron réside non seulement dans son coût tout à fait dérisoire, mais également dans sa totale innocuité.

Bain de pieds émollient (préparer un)

100 g de flocons d'avoine • 20 g de bicarbonate de soude • jus de citron jaune fraîchement pressé • 2 l d'eau

Versez deux litres d'eau dans une casserole et faites-la chauffer jusqu'à ce qu'elle frémisse. D'autre part, versez de l'eau tiède dans un bol et ajoutez-y les flocons d'avoine. Mélangez à la cuillère. Versez ensuite le contenu de ce bol dans la casserole et faites bouillir pendant cinq minutes. Retirez alors la casserole du feu et laissez refroidir la préparation. Prélevez ensuite un peu de liquide à reverser dans le bol précédent. Ajoutez-y le bicarbonate de soude et remuez à la cuillère jusqu'à ce que le bicarbonate soit dissous. Ajoutez alors un peu de jus de citron jaune. Versez le contenu de la casserole dans une cuvette et ajoutez-y le contenu du bol. Mélangez intimement. Lorsque la température de ce bain de pieds est à votre goût, immergez les pieds et laissez-les tremper pendant une vingtaine de minutes. Rincez ensuite les pieds à la douche pour éliminer toutes les particules d'avoine.

Mes conseils en plus

Voici probablement l'un des meilleurs – si ce n'est le meilleur – remède pour les pieds fatigués. Si le jus de citron agit comme tonique, les flocons d'avoine possèdent des propriétés exfoliantes et adoucissantes. Ils aident à assouplir une peau sèche et rugueuse. À l'achat, privilégiez des flocons d'avoine en mouture moyenne ou grossière.

Bain revigorant (préparer un)

175 g de savon en paillettes • 1 cuil. à soupe de vodka • 1/2 cuil. à café d'huile essentielle de citron • 2 cuil. à soupe de glycérine • 25 cl d'eau minérale

Versez le savon en paillettes dans un grand bol en verre. D'autre part, faites chauffer l'eau minérale, puis versez-la, encore chaude, sur le savon afin de bien dissoudre les paillettes. Remuez le tout, très énergiquement, à l'aide d'une cuillère métallique jusqu'à obtention d'une pâte bien crémeuse. Dans un autre pot, versez la cuillerée à soupe de vodka, la demi-cuillerée à café d'huile essentielle de citron et les deux cuillerées à soupe de glycérine. Mélangez bien ces divers ingrédients, puis versez la préparation ainsi obtenue dans la pâte précédente, en remuant pour mélanger et

homogénéiser l'ensemble. À l'aide d'une cuillère, transvasez la préparation ainsi obtenue dans un bocal que vous fermerez bien hermétiquement. Avant d'entrer dans votre bain, ajoutez une généreuse cuillerée à soupe de cette préparation sous le robinet ouvert afin de bien la disperser.

Mes conseils en plus

L'huile essentielle de citron possède des vertus stimulantes. Globalement, elle a la réputation d'augmenter la tonicité et la force vitale.

Une précaution, toutefois : ce bain moussant et revigorant peut s'avérer irritant pour les personnes qui ont une peau particulièrement sensible.

Baume labial (préparer un)
cire d'abeille • 1 cuil. à café d'huile de tournesol • 3 ou 4 gouttes d'essence de citron • 6 ou 7 gouttes d'huile essentielle de lavande

Dans un bol, émiettez des petits fragments de cire d'abeille, de manière à obtenir des fins copeaux. Ajoutez-y une cuillerée à café d'huile de tournesol. Remuez ce mélange à

74

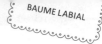

la cuillère, puis ajoutez trois ou quatre gouttes d'essence de citron, puis six ou sept gouttes d'huile essentielle de lavande. Faites ensuite chauffer la préparation pendant trois minutes au bain-marie, sans cesser de remuer assez énergiquement. Pendant qu'il est encore chaud, transvasez ce baume « maison » dans un petit pot à large ouverture et laissez-le refroidir. Appliquez-le, à l'aide d'une spatule ou avec un doigt, sur les lèvres sèches ou gercées avant de mettre du rouge à lèvres.

Mes conseils en plus

La cire d'abeille peut éventuellement être remplacée par la même quantité de cire de bougie. Pour émietter la cire en copeaux, l'utilisation d'une simple râpe de cuisine est à conseiller.

L'essence de citron apporte non seulement sa couleur, mais également toute sa fraîcheur à ce baume. La lavande est, de son côté, bien connue pour son arôme et ses vertus adoucissantes. Ce baume protège les lèvres en les gardant tout à la fois douces et légèrement brillantes.

Cheveux (blonds)

*fleurs de camomille • 1 citron jaune • 3 gouttes
d'essence de lavande • eau bouillante*

Versez les fleurs de camomille dans un bol et arrosez-les d'eau bouillante. Laissez infuser pendant environ un quart d'heure puis, quand l'infusion est froide, filtrez-la soigneusement. Pressez légèrement le citron coupé en deux et versez-en une demi-douzaine de gouttes dans l'infusion. Mélangez bien les divers ingrédients, puis ajoutez encore trois gouttes d'essence de lavande. Transvasez enfin la lotion dans un flacon et utilisez-la après le shampoing et le dernier rinçage. Laissez ensuite vos cheveux blonds sécher au soleil. Ils seront merveilleusement brillants.

Mes conseils en plus

Pour une efficacité maximale, l'infusion de camomille doit être très concentrée. Ce remède n'est pas valable pour les cheveux bruns ou châtains, mais uniquement pour les cheveux blonds qu'ils éclaircissent et rendent plus brillants.

Cheveux (donner de la brillance aux)

1 citron jaune fraîchement pressé • 1 tasse d'eau

Pour donner une superbe brillance à vos cheveux, versez dessus, après le dernier rinçage après-shampoing, une tasse d'eau tiède additionnée du jus d'un citron jaune.

Mes conseils en plus

Une précaution : en suivant ce petit traitement naturel, certains types de cheveux peuvent très légèrement blondir.

Cheveux (éclaircir les)

1 citron jaune fraîchement pressé • eau

Dans un bol, diluez le jus d'un citron jaune avec un peu d'eau, puis mouillez vos cheveux avec cette préparation. Ensuite, allez vous installer dans le jardin, sur la plage ou sur la terrasse, au soleil. Il n'en faut guère plus pour éclaircir – de manière naturelle, agréable et très relaxante – les cheveux blonds ou châtains.

Mes conseils en plus

✦✦✦

Une importante précision : si vous avez les cheveux châtain foncé, bruns ou noirs, n'utilisez jamais ce traitement. Vous risqueriez en effet de virer au roux ou, pire encore, au poil-de-carotte. Ce qui n'est évidemment pas le but recherché.

Cheveux (épis dans les)
jus de citron jaune fraîchement pressé

Vous vous réveillez avec des épis qui pointent le bout de leurs mèches partout sur votre tête ? Et qui jettent le trouble sur votre coiffure d'ordinaire si ordonnée ? Qu'à cela ne tienne ! Faites encore une fois appel au citron ! Remettez les mèches rebelles à leur place en les aspergeant de jus de citron jaune et en vous recoiffant comme d'habitude. Ce n'est pas plus compliqué que ça !

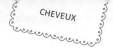

Cheveux (revitaliser les) (1)

2 cuil. à soupe de jus de citron jaune fraîchement pressé • 2 cuil. à soupe d'huile d'olive vierge extra • 1 jaune d'œuf

Vous trouvez que vos cheveux sont ternes ? Voici un remède naturel qui va leur rendre toute leur vitalité !

Dans un petit bol, mélangez intimement deux cuillerées à soupe de jus de citron jaune et la même quantité d'huile d'olive vierge extra. Ajoutez-y ensuite un jaune d'œuf et mélangez bien tous les ingrédients.

Appliquez alors la préparation ainsi obtenue sur votre cuir chevelu, en massant délicatement. Laissez agir votre produit « fait maison » pendant cinq ou six minutes, puis rincez abondamment à l'eau claire.

Mes conseils en plus

Des cheveux ternes et sans éclat sont souvent la manifestation d'un problème de cuir chevelu : les glandes sébacées ne produisent pas assez de sébum. À ce manque, s'ajoutent encore d'autres facteurs liés à la vie moderne : la pollution de l'air, une alimentation peu saine et équilibrée, l'usage abusif du sèche-cheveux…

Plusieurs produits naturels ont des bienfaits considérables pour les cheveux. C'est notamment le cas de l'huile d'olive qui, si elle est de qualité, redonne force et brillance aux cheveux. Il suffit, pour cela, d'imprégner les cheveux d'huile d'olive, de les enrouler dans une serviette propre et de laisser agir toute une nuit. Cette opération est à renouveler tous les mois ou tous les quinze jours selon les cas.

Cheveux (revitaliser les) (2)
1 citron jaune fraîchement pressé • vinaigre • eau tiède

Une autre méthode naturelle pour redonner de l'éclat à vos cheveux est de mélanger, à parts égales, du jus de citron et du vinaigre blanc avec de l'eau tiède. Faites votre shampoing de la manière habituelle et massez délicatement votre cuir chevelu pendant deux ou trois minutes. Rincez vos cheveux, puis appliquez la préparation au jus de citron et au vinaigre. Laissez-la agir pendant quelques minutes, puis rincez à nouveau vos cheveux qui auront retrouvé vitalité et éclat.

Cheveux (secs)

1 cuil. à soupe de jus de citron jaune fraîchement pressé • quelques gouttes d'huile d'olive vierge extra • 1/2 avocat épluché

Une cuillerée à soupe de jus de citron jaune, quelques gouttes d'huile d'olive vierge extra et la chair d'un demi-avocat : mélangez intimement ces divers ingrédients jusqu'à obtention d'une sorte de pâte homogène. Appliquez celle-ci sur vos cheveux environ une demi-heure avant d'effectuer votre shampoing. Laissez agir cette préparation naturelle, puis faites votre shampoing comme d'habitude.

Mes conseils en plus

Conseil : si vos cheveux sont vraiment très secs et donc fort abîmés, rien ne vous empêche de répéter cette petite opération chaque semaine.

Des cheveux secs (et donc souvent très cassants) sont le signe d'un vieillissement prématuré de la chevelure et d'une perte de l'élasticité de la kératine. Ils peuvent être causés par plusieurs facteurs qui, dans certains cas, se conjuguent : une trop longue exposition au soleil et aux bains de mer, un abus de traitements cosmétiques (permanente, défrisage, coloration et décoloration…) très mauvais pour les cheveux.

Mais sont aussi en cause certains détergents contenus dans les shampoings industriels, la pollution de l'air… Au final, les glandes sébacées, victimes de multiples attaques, s'atrophient et empêchent le flux normal de sébum dans le follicule pilosébacé. Du coup, les cheveux ne sont plus protégés contre la pollution atmosphérique, les traitements chimiques que vous leur infligez (shampoings, colorations…) ou les traitements mécaniques provoquant une trop forte chaleur (usage des fers électriques, rouleaux chauffants, sèche-cheveux, brosses soufflantes et chauffantes…). Ce ne sont donc plus des cheveux que vous avez sur la tête, mais presque de la paille.

L'utilisation d'huiles capillaires protectrices et nourrissantes, d'origine biologique, peut renforcer l'effet bénéfique du traitement au citron proposé ci-dessus.

Corne (éliminer la)
1/2 citron jaune • huile d'amande douce

Il est tout à fait naturel que de la corne se forme sous les pieds, et essentiellement sous les talons. Mais il faut bien avouer que cela n'a rien d'agréable ou d'esthétique. Pour l'éliminer facilement, offrez-vous un bain de pieds bien chaud. Ensuite, frottez les zones à traiter d'abord avec une pierre ponce, puis avec le côté pulpe d'un demi-citron jaune. Massez ensuite à l'huile d'amande douce.

Mes conseils en plus

Le bain de pieds chaud a pour effet de ramollir la peau des pieds, ce qui facilite la suite de l'opération.

La corne semble préférer les pieds à peau sèche. Certaines crèmes de qualité biologique peuvent dans ce cas vous être également utiles afin d'atténuer la sécheresse de votre peau. Dans tous les cas, évitez les crèmes industrielles qui, trop souvent, contiennent des composants dangereux pour la santé.

Cors aux pieds (soigner les)
15 ml de jus de citron jaune fraîchement pressé • 5 ou 6 comprimés d'aspirine effervescents • 15 ml d'eau

Dans un petit bol, confectionnez une pâte à base de quinze millilitres d'eau, de la même quantité de jus de citron jaune et de cinq ou six comprimés d'aspirine effervescents. Appliquez ensuite cette pâte sur les cors aux pieds à traiter, puis emballez dans une feuille de film plastique étirable et enfin dans une serviette propre et chaude. Laissez agir

pendant quinze à vingt minutes, puis retirez la serviette et le film plastique. Frottez enfin les cors à l'aide d'une petite pierre ponce.

Mes conseils en plus

Le cor est une callosité située sur le pied. Dans l'immense majorité des cas, il s'agit d'un épaississement cutané très localisé qui forme une sorte de cône jaunâtre, lié à des frottements répétés. La peau s'épaissit afin de protéger les tissus sous-jacents qui, sinon, pourraient être abîmés par les frottements.

Tout à fait bénins, les cors aux pieds peuvent toutefois provoquer une certaine gêne à la marche. Ils peuvent devenir douloureux et s'infecter (notamment chez les personnes souffrant de diabète), nécessitant alors une petite intervention. Autant ne pas en arriver là…

Il n'est pas toujours facile ou même possible d'éviter l'apparition de cors aux pieds, mais vous pouvez tout de même réduire le risque en évitant de porter des chaussures trop serrées, en supprimant les talons hauts et en privilégiant des chaussures dans lesquelles vous vous sentez tout à fait à l'aise.

Couperose (traiter la)

1 citron jaune • eau argileuse

À l'aide d'un petit morceau de coton propre, appliquez un peu d'eau argileuse sur les zones à traiter. Ensuite, frottez-les avec la peau blanche d'un citron jaune de qualité biologique.

Mes conseils en plus

Il faut savoir que ce traitement naturel et inoffensif ne va pas faire disparaître complètement les traces de couperose. Mais il a au moins le mérite de les atténuer plus ou moins fortement.

Contrairement à ce que l'on peut parfois penser, la couperose – qui est assez peu esthétique et fort dérangeante – n'affecte pas exclusivement les personnes âgées. On estime qu'environ 15 % de la population est concernée, surtout les personnes qui ont une peau fragile et des yeux clairs. En effet, les peaux les plus sensibles réagissent aux agressions extérieures (pollution atmosphérique, froid intense…) par une hyperactivité cutanée qui se traduit par des sensations de picotement, de brûlure ou d'échauffement. Parfois aussi par des rougeurs. Elles sont surtout localisées sur les joues, le front et le menton. Avec le temps, les petits vaisseaux dilatés perdent de

leur élasticité et la rougeur diffuse finit par devenir perma-nente : la couperose s'est installée !

Son apparition peut en outre être favorisée par certains fac-teurs qu'il est toutefois possible d'éviter : la consommation d'alcool, le tabagisme, la consommation excessive d'épices, la consommation régulière de préparations culinaires très chaudes, le stress, les variations brutales de température… La grossesse est aussi considérée comme une période à risque.

Crème démaquillante (confectionner sa)

15 g de cire d'abeille • 10 cl d'huile d'amandes • 1 généreuse poignée de menthe fraîche • 1/4 de cuil. à café de borax • 1 goutte d'huile essentielle de citron • 60 cl d'eau bouillante

Cassez la cire d'abeille en morceaux et mettez-la dans un bol placé au bain-marie. Ajoutez l'huile d'amandes et faites fondre. Préparez une infusion en versant soixante centilitres d'eau bouillante sur une généreuse poignée de menthe fraîche. Laissez infuser jusqu'à ce que ce soit froid, puis passez cette petite préparation. Ensuite, faites chauffer quatre cuillerées à soupe de cette infusion et faites-y dissoudre le borax. Ajoutez ce mélange dans la cire d'abeille et l'huile d'amandes qui sont toujours au bain-marie, avec le reste de l'infusion et sans cesser de remuer énergiquement. Ajoutez une goutte d'huile essentielle de citron, puis retirez le récipient du feu. Battez au fouet électrique jusqu'à ce que le mélange soit froid et crémeux. Transvasez enfin la crème ainsi obtenue dans des pots et laissez refroidir complètement avant de les fermer hermétiquement. Glissez-les dans le réfrigérateur.

Appliquez cette crème en une épaisse couche et laissez agir pendant vingt à vingt-cinq minutes. Retirez-la ensuite avec des mouchoirs en papier et nettoyez votre peau à l'eau tiède. Séchez votre visage.

Mes conseils en plus

Voici une magnifique crème démaquillante à utiliser chaque soir. Elle convient particulièrement bien aux peaux sèches et normales.

Crème régénératrice (confectionner sa)

10 gouttes d'huile essentielle de patchouli • 10 gouttes de jus de citron jaune fraîchement pressé • 10 gouttes d'essence de roses • 3 cuil. à soupe d'huile d'amande douce

Versez les dix gouttes d'huile essentielle de patchouli dans un bol bien sec, puis ajoutez une dizaine de gouttes de jus de citron jaune. Incorporez aussi l'essence de roses et mélangez bien tous ces ingrédients à l'aide d'une cuillère. Ajoutez enfin l'huile d'amande douce (celle-ci va servir d'huile de support). Mélangez une nouvelle fois. Imprégnez un coton à démaquiller avec cette lotion et tapotez-en votre visage jusqu'à ce que la crème ait bien pénétré dans la peau. Laissez agir pendant une quinzaine de minutes, puis rincez votre visage à l'eau tiède.

Mes conseils en plus

L'huile essentielle de patchouli renforce la tonicité de la peau. Ne dépassez pas la dose indiquée (soit dix gouttes) car il s'agit d'une essence très aromatique. L'essence de roses, quant à elle, prévient le vieillissement. Dans cette crème, le citron apporte toutes ses vertus astringentes. Ce produit de beauté entièrement naturel et « fait maison » va régénérer les peaux matures ou abîmées.

Démaquillant (confectionner un) (1)
jus de citron jaune fraîchement pressé • eau de rose

Mélangez, en parts égales, du jus de citron jaune de qualité biologique et de l'eau de rose. Utilisez la lotion ainsi obtenue chaque jour, matin et soir pour vous démaquiller, mais aussi pour préserver une peau bien nette. Pour ce faire, imbibez un morceau de coton propre de lotion « faite maison » et passez-le sur votre visage.

Démaquillant (confectionner un) (2)
jus de citron jaune fraîchement pressé • huile d'amande douce • vaseline

Si une autre recette de démaquillant « maison » vous ferait plaisir, votre souhait est exaucé ! Dans un flacon, mélangez du jus de citron jaune, de l'huile d'amande douce et de la vaseline en parts égales. Mélangez bien ces trois ingrédients. Imbibez un morceau de coton propre avec cette lotion et appliquez-le sur votre visage.

Mes conseils en plus

Originaire d'Asie et du Moyen-Orient, l'huile d'amande douce était déjà utilisée pour leurs soins de beauté par les

*coquettes Romaines de l'Antiquité. Elle est quasiment inco-
lore, mais sa saveur est particulièrement délicate. Contenant
notamment de la vitamine D, elle est facilement absorbée par
la peau (qu'elle contribue à adoucir) et s'avère aussi bénéfique pour les cheveux et les ongles cassants.*

*Quelques précautions toutefois… Si elle est particulièrement
intéressante pour les peaux sèches, elle ne peut toutefois pas
être utilisée (pour les soins de beauté) par les personnes ayant
une peau grasse ou souffrant d'acné. Il faut aussi savoir qu'il
ne faut pas la chauffer car elle ne résiste pas à la chaleur
(ceci est surtout important pour ses diverses utilisations culinaires). Enfin, comme elle a tendance à rancir assez rapidement, il est préférable de l'acheter par petites quantités à la
fois et de la conserver au frais, dans le réfrigérateur.*

Dents (blanches)
jus de citron jaune fraîchement pressé

Voici le secret pour avoir de belles dents
blanches : trempez votre brosse à dents dans du jus de
citron, puis brossez-vous les dents de la manière habituelle.
Rincez ensuite abondamment.

Mes conseils en plus

❧❧❧

Une précaution : avant d'utiliser ce remède naturellement efficace, demandez toutefois son avis à votre dentiste habituel. En effet, chez certaines personnes, l'acide citrique du citron peut attaquer l'émail des dents.

Désodorisant (confectionner un)

50 g de racines d'iris en poudre • 50 g d'écorce d'orange pulvérisée • 50 g d'écorce de citron jaune pulvérisée • 2 g de racine de réglisse en poudre

Au travers d'une fine passoire, tamisez progressivement la racine d'iris en poudre, jusqu'à obtention d'une poudre vraiment très fine. Dans un autre récipient en verre, mettez les écorces d'orange et de citron. Ajoutez-y la poudre d'iris tamisée et une pincée de racine de réglisse moulue. Mélangez intimement tous ces ingrédients et recommencez à tamiser. En finalité, la poudre doit être très fine.

Mes conseils en plus

Ce désodorisant naturel en poudre peut sans le moindre danger être appliqué directement sur la peau.

Si vous le désirez, vous pouvez diluer une cuillerée de la préparation dans un petit peu d'alcool éthylique, de manière à obtenir un désodorisant liquide que vous conserverez dans un flacon vaporisateur propre et sec. N'oubliez pas de bien reboucher ce flacon après chaque utilisation.

Bonne nouvelle : ce produit entièrement « fait maison » conserve son efficacité pendant cinq à six mois.

Doigts (éliminer les traces de nicotine sur les)
jus de citron jaune fraîchement pressé

Même s'il n'est pas en train d'allumer une nouvelle cigarette, on reconnaît assez facilement un fumeur. Ses vêtements sont imprégnés de la détestable odeur du tabac refroidi, tout comme ses cheveux. Sa peau est généralement grasse ; son haleine chargée et ses doigts jaunis par la nicotine. Bref, rien d'agréable, d'attrayant ou de réjouissant.

Si vous êtes fumeur, peut-être désirez-vous tout de même éviter ou atténuer certains de ces inconvénients. Le mieux, pour vous et votre entourage, serait bien entendu d'arrêter immédiatement de consommer du tabac, mais si cela vous semble impossible, sachez que vous pouvez déjà atténuer, voire éliminer les traces de nicotine qui rendent vos doigts si peu élégants...

La meilleure solution consiste à vous frotter les doigts avec du jus de citron pur. Un remède idéal pour retrouver des mains de... non-fumeur !

Eau de Cologne aromatisée (préparer une)

1 cuil. de feuilles de menthe poivrée fraîche • 1 cuil. de feuilles de romarin frais • 5 cl de vodka • 1 orange de qualité biologique • 1 citron jaune de qualité biologique • 11,5 cl d'eau de rose

Lavez soigneusement les feuilles de menthe poivrée et de romarin, puis faites-les sécher. Mettez-les ensuite dans un bol et arrosez-les de vodka préalablement chauffée. Lavez l'orange et le citron, puis râpez la peau de ces deux fruits. Versez les zestes ainsi obtenus dans le bol précédent. Mélangez bien les divers ingrédients. D'autre part, chauffez l'eau de rose au bain-marie, puis versez-la également dans le bol et mélangez une nouvelle fois. Couvrez le bol et glissez-le dans le réfrigérateur. Laissez reposer la pré-

paration pendant une semaine, au frais, en mélangeant délicatement chaque jour. À l'issue de ce temps de repos, tamisez la préparation et transvasez-la dans un flacon fermant hermétiquement.

Mes conseils en plus

Si elle ne présente guère de vertu médicinale, cette eau de Cologne aromatisée a toutefois le mérite de parfumer très agréablement l'eau du bain et la peau. Si vous prenez la précaution de ranger le flacon dans le réfrigérateur, votre eau de Cologne « maison » se conservera pendant dix à quinze jours.

Fond de teint (appliquer correctement un)
1 rondelle de citron jaune • fond de teint • eau minérale

Toutes les femmes le savent bien : pour ne pas ressembler à une toile impressionniste ou, selon une certaine expression consacrée, à une voiture volée (et donc maquillée…), l'application d'un fond de teint demande un certain doigté. Pour faciliter cette opération, passez tout d'abord sur votre visage une rondelle de citron jaune, en évitant toutefois

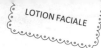

le contour des yeux. Appliquez ensuite une petite noix de fond de teint préalablement réchauffée au creux de la main et finissez en vaporisant un tout petit peu d'eau minérale froide sur le visage. Votre fond de teint, bien appliqué, durera ainsi toute la journée.

Gommage (confectionner un)
jus de citron jaune fraîchement pressé • sel fin

Vous désirez un gommage efficace, peu onéreux et écologique ? Ne cherchez plus ! Voici la solution qu'il vous faut… Dans un petit bol, mélangez intimement du jus de citron jaune et du sel fin jusqu'à obtention d'une pâte. Appliquez ensuite celle-ci sur la peau, en effectuant des petits mouvements circulaires. Le tour est joué !

Lotion faciale (préparer une)
6 cl de distillat d'hamamélis • 2 cuil. à café d'eau de fleur d'oranger • 5 gouttes d'huile essentielle de citron

Versez le distillat d'hamamélis dans un flacon en verre propre et sec, puis ajoutez-y deux cuillerées à café d'eau de fleur d'oranger et cinq gouttes d'huile essentielle de citron. Fermez le flacon bien hermétiquement et agitez vigoureusement pour mélanger les ingrédients. Conservez votre lotion faciale au frais, dans le réfrigérateur. Pour l'utiliser

chaque matin après la toilette, versez-en un peu dans le creux de la main, puis passez-la sur le visage.

> ## *Mes conseils en plus*
>
> *L'hamamélis possède des vertus astringentes et l'huile essentielle de citron a un puissant effet tonique. De son côté, l'eau de fleur d'oranger est agréablement relaxante.*

 ## Mains (adoucir les)
jus de citron jaune fraîchement pressé • eau de Cologne • glycérine

Quoi de plus agréable que des mains douces ? Vos mains le seront à coup sûr si vous prenez la peine de mélanger intimement, en parts égales, du jus de citron jaune, de l'eau de Cologne et de la glycérine. Massez-vous ensuite les mains avec cette préparation.

Mes conseils en plus

Initialement, le terme « eau de Cologne » désigne un parfum (en fait une eau alcoolisée à base d'agrumes, comprenant entre 4 et 6 % d'essences) mis au point par le parfumeur italien Jean-Marie Farina qui vécut entre 1685 et 1766. C'est pour honorer sa nouvelle ville résidentielle, Cologne, qu'il baptisa son parfum « Eau de Cologne ». Très vite, ce parfum devint le préféré de nombreux grands personnages dont les rois Louis XV et Louis XVI, ainsi que Napoléon. Un siècle plus tard, cependant, l'eau de Cologne originelle se vit mise en concurrence avec d'innombrables imitations. Aujourd'hui, la recette précise de la véritable eau de Cologne est toujours jalousement gardée secrète, même si de nombreuses maisons de parfumerie (dont Guerlain, Yardley ou Roger & Gallet) ont réussi à l'imiter avec plus ou moins de bonheur. Il n'empêche que la maison 4711, détentrice de la recette de la « vraie » eau de Cologne connaît toujours un franc succès, commercialisant son produit phare dans une soixantaine de pays.

Mains (fripées)
jus de citron jaune fraîchement pressé

Soumises aux multiples agressions de la vie quotidienne, exposées de manière permanente, les mains

sont assez rapidement fragilisées. Il suffit alors d'un simple séjour prolongé dans l'eau pour qu'elles soient fripées. Ce phénomène est encore plus marqué si vous avez une peau particulièrement sensible. Si cela vous arrive, il suffit de masser vos mains avec du jus de citron jaune pour faire aussitôt disparaître ce petit inconvénient.

Mains (gercées)

jus de citron jaune fraîchement pressé • glycérine • sérum physiologique

Voici un excellent remède naturel si vous avez les mains gercées. Mélangez du jus de citron jaune, de la glycérine et du sérum physiologique, en parts égales. Versez la préparation ainsi obtenue dans un flacon et utilisez votre baume « fait maison » tous les soirs. Un seul impératif : secouez bien le flacon avant d'utiliser la préparation pour en enduire vos mains.

Mes conseils en plus

Le sérum physiologique se trouve dans toutes les bonnes pharmacies.

La glycérine, encore connue sous le nom de glycérol, est un alcool qui se présente sous la forme d'un liquide transparent, incolore et inodore, assez visqueux. Il est légèrement sucré et absolument non toxique.

La glycérine est utilisée par l'industrie pharmaceutique, mais aussi en cosmétique et en chimie où l'on apprécie, parmi d'autres, ses propriétés lubrifiantes.

Mains (soigner les crevasses aux)
jus de citron jaune fraîchement pressé • 2 cuil. à soupe d'argile • 2 cuil. à soupe d'huile d'olive vierge extra

Le froid et l'humidité sont deux éléments qui peuvent causer des crevasses aux mains. Des crevasses parfois douloureuses. Pour soulager la douleur et vous aider à passer le plus confortablement possible la (trop) longue période hivernale, mélangez intimement le jus d'un citron jaune, deux cuillerées à soupe d'argile et la même quantité d'huile d'olive vierge extra, jusqu'à obtention d'une préparation homogène et pâteuse. Appliquez-la ensuite sur les meurtrissures et laissez-la agir pendant une bonne demi-heure avant de rincer à l'eau claire, tiède.

Mes conseils en plus

Pour une efficacité maximale, surtout si vous êtes sujet aux crevasses aux mains, n'hésitez pas à répéter ce petit traitement naturel chaque semaine pendant toute la « mauvaise saison ».

Masque astringent (préparer un)
1 œuf entier • 1 pincée de sel • 1/2 orange fraîchement pressée • 1/2 citron jaune fraîchement pressé

Cassez un œuf en séparant soigneusement le blanc du jaune. Mettez le blanc d'œuf dans un bol et ajoutez-y une petite pincée de sel. Montez-le rapidement en neige et battez-le vigoureusement au fouet jusqu'à obtention d'une émulsion bien mousseuse. Ajoutez-y le jus de la demi-orange et remuez doucement le tout à la cuillère avant d'intégrer le jus du demi-citron jaune. Mélangez. Étalez ce masque sur le visage et le cou, en laissant agir la préparation pendant une dizaine de minutes. Rincez ensuite à l'eau tiède et mettez une crème hydratante.

Mes conseils en plus

Le blanc d'œuf a des propriétés astringentes. Il est excellent pour traiter les peaux grasses. Avec, en plus, des vertus anti-septiques, ce masque se montre fort efficace pour combattre les disgracieux points noirs et resserrer les pores des peaux grasses et séborrhéiques.

Masque facial purifiant (préparer un)

100 g de fraises fraîches • 4 brins de menthe fraîche • 1,5 cl de jus de citron jaune fraîchement pressé • 2 cuil. à café de lait en poudre

Lavez les fraises avant de les équeuter. Lavez, puis séchez les brins de menthe, détachez les feuilles des tiges. Mettez les fraises, les feuilles de menthe et le jus de citron jaune dans le bol d'un mixeur. Ajoutez-y les deux cuillerées de lait en poudre et actionnez l'appareil pendant une grosse dizaine de secondes, jusqu'à obtention d'une crème épaisse et onctueuse. Transvasez le mélange ainsi obtenu dans un bol et appliquez ce masque sur le visage, en prenant soin d'éviter le contour des yeux et de la bouche. Maintenez-le en place pendant une vingtaine de minutes, puis rincez généreusement à l'eau claire.

Mes conseils en plus

Ce masque purifie la peau et procure une très agréable sensation de fraîcheur. Il est parfait en été.

Une seule précaution : pour éviter d'éventuelles réactions allergiques, il est vivement conseillé de procéder à un petit essai en appliquant cette préparation sur une toute petite surface de peau (par exemple : derrière l'oreille). Si aucune réaction allergique ne se manifeste dans les vingt-quatre heures suivant l'application, vous pouvez utiliser ce masque sans problème et sans crainte.

Grâce à leur pouvoir antioxydant, les fraises (à choisir mûres mais fermes) sont idéales pour rajeunir, hydrater et rafraîchir en profondeur tous les types de peau, en éliminant les petites impuretés.

Masque hydratant (réaliser un)

1 cuil. à soupe de jus de citron jaune fraîchement pressé • 2 cuil. à soupe de miel de qualité biologique • 3 ou 4 cuil. à soupe d'huile d'olive vierge extra • eau tiède • eau froide

Une cuillerée à soupe de jus de citron jaune, deux cuillerées à soupe de miel et trois ou quatre cuillerées à soupe d'huile d'olive : il n'en faut guère plus pour confectionner, à moindre coût, un fantastique masque hydratant cent pour cent naturel et entièrement « fait maison ». Mélangez bien ces trois ingrédients, puis appliquez la préparation ainsi obtenue sur votre peau. Laissez agir le mélange pendant une quinzaine de minutes, puis rincer votre visage à l'eau tiède, puis à l'eau froide. Essuyez.

Mes conseils en plus

L'huile d'olive, si elle apporte incontestablement ses bienfaits spécifiques, reste toutefois facultative dans le cadre de ce masque hydratant. Si vous le désirez, vous pouvez donc le confectionner uniquement à partir de jus de citron et de miel.

Masque purifiant (réaliser un)

1 tomate • 1 citron jaune fraîchement pressé • 1 cuil. à soupe de poudre d'argile

Lavez la tomate, puis équeutez-la. Mettez-la dans le bol d'un mixeur et actionnez l'appareil. Incorporez-y ensuite le jus d'un citron jaune et une cuillerée à soupe de poudre d'argile. Mélangez intimement ces différents ingrédients, puis appliquez la préparation ainsi obtenue sur votre visage préalablement lavé et essuyé.

Laissez agir la préparation pendant un petit quart d'heure, puis rincez votre visage et séchez-le.

Mes conseils en plus

Si elle est de qualité biologique et donc non traitée par les produits chimiques des agricultures conventionnelle et raisonnée, la tomate est une excellente source de vitamine C et de bêta-carotène. Tout à la fois purifiante, désinfectante et stimulante, elle est vraiment bénéfique pour la peau, et surtout pour les peaux grasses.

Une autre petite astuce naturelle « spécial peau grasse » à base de tomate : passez une rondelle de tomate sur votre visage tous les jours, matin et soir, puis rincez-vous.

Massage relaxant (réaliser un)

1/2 citron jaune fraîchement pressé • 20 cl d'huile d'olive vierge extra • huile essentielle de lavande

Rien de plus facile et amusant que de préparer votre huile personnelle de massage relaxant ! Il vous suffit de mélanger intimement le jus d'un demi-citron jaune avec vingt centilitres d'huile d'olive et quelques gouttes d'huile essentielle de lavande.

Massez-vous ensuite longuement avec cette huile délicieusement parfumée. L'effet procuré est tout simplement fantastique !

Mes conseils en plus

Parfaitement tolérée par les adultes mais aussi par les enfants, l'huile essentielle de lavande, disponible notamment dans les boutiques bio et de soins naturels, est antivenimeuse et antiseptique. Elle possède également un léger pouvoir relaxant. Dans ce contexte, elle est notamment recommandée pour réduire le stress postopératoire chez les patients, réduire d'une manière générale l'anxiété des patients avant une importante consultation médicale ou une opération, traiter l'insomnie et favoriser un meilleur sommeil, réduire

l'agitation et favoriser le bon sommeil du bébé, augmenter la concentration au travail ou pendant les études...

Ongles (cassants)
jus de citron jaune fraîchement pressé

Si vos ongles sont fragiles et que, par consé-quence, ils ont tendance à casser facilement, dopez-les naturellement grâce au jus de citron. Appliquez du jus de citron jaune directement sur les ongles de vos mains ou de vos pieds, laissez agir pendant un petit moment et séchez. N'hésitez surtout pas à répéter cette opération quotidien-nement, matin et soir, pendant une quinzaine de jours en évitant de vous rincer les mains à la fin de chaque traite-ment. Vos ongles en sortiront considérablement fortifiés.

Mes conseils en plus

Comme les cheveux, les ongles sont composés essentielle-ment de kératine, une protéine qui renferme pas moins de dix-huit acides aminés. Très durs, les ongles renferment assez peu d'eau (environ 18 % seulement). Au-dessus de 30 % d'eau, ils deviennent mous, mais en dessous de 16 % d'eau, ils deviennent cassants. Toujours à l'image des cheveux, les ongles sont un fidèle reflet de notre état général et de notre santé. C'est ainsi que des ongles cassants traduisent avant tout une carence en cystine (l'un des plus importants acides aminés contenus dans la kératine, aussi bien qualitativement que quantitativement), en fer, en calcium et/ou en vitamines A, B et E.

Pour privilégier de beaux ongles sains, outre l'astuce au citron évoquée ci-dessus, quelques autres mesures peuvent également être suggérées : privilégier une alimentation saine, riche en soufre, en fer, en zinc et en vitamines du groupe B (dans ce contexte, des aliments tels que l'ail, l'oignon, les œufs, les graines et fruits oléagineux, le chou, le poireau, l'asperge, les poissons et fruits de mer… sont à recommander) ; limiter les contacts répétés avec l'eau (en privilégiant le port de gants pour faire la vaisselle ou nettoyer la maison à l'eau) ; bien hydrater les mains et les ongles pendant les périodes de sécheresse et de grand froid ; ne pas utiliser de vernis à ongles (et surtout pas ceux dits « à séchage rapide ») qui dessèchent les ongles et les fragilisent gravement.

Ongles (éclaircir les)

1 citron jaune fraîchement pressé • 1 tasse d'huile d'olive vierge extra • eau froide

Le citron est aussi à recommander tout particulièrement si vous désirez éclaircir vos ongles. Mélangez le jus d'un citron jaune à une tasse d'huile d'olive vierge extra, puis faites tremper le bout des doigts (et donc les ongles) dans cette petite mixture pendant environ un quart d'heure. Ensuite, rincez-les sous l'eau froide courante et séchez-les.

> ### *Mes conseils en plus*
>
> *Des ongles qui souffrent de décoloration indiquent habituellement une carence en vitamines (dans le cas où les ongles pâlissent) ou l'apparition d'un hématome (coloration bleutée).*

Ongles (entretien courant des)

1 citron jaune fraîchement pressé • 20 g de sel • 10 g de borax • 50 cl d'eau de rose

Versez le jus de citron jaune dans un bol et ajoutez-y le sel, le borax et l'eau de rose. Mélangez bien ces divers ingrédients et laissez reposer la préparation ainsi obtenue pendant vingt-quatre heures. Transvasez ensuite cette lotion dans un flacon opaque et fermant bien hermétiquement. Utilisez-la chaque soir afin d'assurer l'entretien quotidien de vos ongles.

Mes conseils en plus

Le borax – dont le nom vient de l'arabe « bawraq » ou du persan « boûraq » – est un sel totalement inodore et incolore qui se présente sous la forme de petites paillettes ou de poudre. Dans nos régions, il est utilisé dès le Moyen Âge, importé alors du Tibet via la célèbre Route de la Soie. Aujourd'hui utilisé par la métallurgie, dans l'industrie atomique et l'industrie du verre (qui engloutit à elle seule environ un quart de la production mondiale), le borax est aussi utilisé dans le cadre de la fabrication d'engrais et de savons. Souvent recommandé dans des « recettes maison » et autres remèdes dits « de grands-mères », son utilisation doit cependant rester parcimonieuse car, chez les personnes les plus sensibles, le produit peut entraîner des réactions cutanées, des nausées et des maux de tête.

Parfum aux limes (préparer son)

2 citrons verts (limes) • 2 gousses de vanille • 10 cl de vodka • 1 cuil. à soupe d'eau de fleur d'oranger • 10 gouttes d'huiles essentielles de citron, de vanille et de bergamote (soir 30 gouttes au total) • 5 gouttes de néroli

Zestez les citrons et mettez ces zestes dans un bocal. Ajoutez-y les gousses de vanille coupées en morceaux et arrosez le tout de vodka. Couvrez le récipient et remisez-le dans un endroit chaud pendant une semaine. À l'issue de ce temps de repos, filtrez soigneusement le mélange au travers d'une passoire garnie d'une mousseline, en pressant les zestes et la vanille pour en extraire tout le jus aromatique. Incorporez ensuite une cuillerée à soupe d'eau de fleur d'oranger et remuez, puis ajoutez encore les trente gouttes d'huiles essentielles et les cinq gouttes de néroli. Remuez délicatement tous ces ingrédients et transvasez la préparation ainsi obtenue dans un flacon.

Mes conseils en plus

Tout le monde vous demandera la marque de votre parfum qui dégagera une senteur délicieusement acidulée, mélangée à l'odeur suave de la vanille. Vous surprendrez tout le monde en précisant qu'il s'agit d'un parfum super-économique entièrement « fait maison ».

Peau (grasse) (1)
jus de citron fraîchement pressé

Si vous avez la peau du visage grasse, vous pouvez aussi vous en remettre au citron et à ses bienfaits. Chaque matin, appliquez sur la peau un morceau de coton préalablement imbibé de jus de citron. Laissez agir pendant environ un quart d'heure, puis, éventuellement, maquillez-vous comme vous le faites d'habitude. Bien entendu, si vous vous maquillez, n'utilisez que des produits biologiques et certifiés comme tels, exempts de toutes les substances toxiques largement utilisées par l'industrie cosmétologique classique. Et notamment les substances cancérigènes à toutes les doses de la vaste famille des parabènes.

Mes conseils en plus

Contrairement à ce que l'on pourrait peut-être supposer, une peau grasse est une peau extrêmement fragile qui ne supporte pas les produits de cosmétologie agressifs, abrasifs et décapants qui ont tendance à exciter la production de sébum. C'est d'ailleurs pour cette raison que l'immense majorité des produits industriels soi-disant conçus spécifiquement pour ce type de peau sont d'une remarquable inefficacité et, plus encore, aggravent le problème.

Peau (grasse) (2)

1/2 verre d'huile de support • 5 gouttes d'essence
de petit-grain • 1 cuil. à café de jus de citron jaune
fraîchement pressé • 1 cuil. à café d'eau de fleur
d'oranger • 3 gouttes d'essence de bergamote

Versez un demi-verre d'huile de support dans un bol et ajoutez-y cinq gouttes d'essence de petit-grain. Remuez bien, puis ajoutez la cuillerée à café de jus de citron jaune et la même quantité d'eau de fleur d'oranger. Terminez la préparation en incorporant encore trois gouttes d'essence de bergamote et mélangez intimement tous les ingrédients. Appliquez enfin cette lotion sur le visage à l'aide d'un tampon de coton propre, après la toilette. Laissez la peau bien l'absorber. Répétez ce petit traitement chaque jour, jusqu'à ce que la peau soit assainie.

Mes conseils en plus

Les diverses essences doivent impérativement être diluées dans une huile de support de première pression à froid et de qualité biologique. Pour cette préparation, l'huile de tournesol et l'huile d'amande douce conviennent parfaitement.

Obtenue par la distillation des feuilles et des rameaux de l'oranger amer, l'essence de petit-grain est utilisée dans le traitement des peaux grasses et acnéiques. De son côté, l'essence de bergamote est réputée combattre efficacement les problèmes des peaux grasses. Elle a une puissante action antibactérienne, tout comme le citron jaune.

Peau (rugueuse)
1/2 citron jaune

Prenez une bonne habitude : chaque jour après votre douche matinale, consacrez quelques petites minutes à frotter les parties les plus rugueuses de votre peau (les coudes, par exemple), avec le côté pulpe d'un demi-citron jaune. C'est une excellente méthode, tout à fait naturelle et inoffensive, de faire retrouver à votre peau sa délicate douceur.

Points noirs (faire disparaître les)
jus de citron jaune fraîchement pressé

Voici une méthode infaillible pour faire disparaître les disgracieux points noirs (ou blancs) : tous les soirs, trempez un morceau de coton propre dans du jus de citron jaune et appliquez-le immédiatement sur les zones du visage à traiter. Laissez agir pendant toute la nuit. Cette petite opération accélérera la disparition des points noirs.

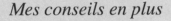

Mes conseils en plus

Les points noirs apparaissent généralement sur les parties les plus grasses du visage, telles que le menton ou le nez. Le petit canal qui draine le sébum, sécrété par les glandes sébacées de la peau, est bouché et entraîne l'apparition de boutons ou de points noirs. Plus le sébum s'accumule et plus le point noir se forme. La disgracieuse teinte noirâtre provient, selon les versions, de l'oxydation des lipides du comédon au contact de l'air ou de la mélanine produite par la peau. Les spécialistes ne sont pas encore d'accord sur ce point.

Pour lutter efficacement contre les points noirs, l'astuce au citron présentée ci-dessus se montre d'une réelle efficacité. Mais il existe d'autres petits traitements naturels qui ont aussi les faveurs de certains. Ainsi, on préconise parfois d'appliquer chaque jour sur les points noirs une compresse imbibée de jus de persil. Autre recette miracle : appliquer deux ou trois fois par semaine sur les zones du visage à traiter un masque au jaune d'œuf et à la levure de bière.

Rides (lotion anti-)

1/2 citron vert fraîchement pressé • 3 cuil. à soupe d'huile de germes de blé • 1 cuil. à soupe de miel d'acacia

Il existe plusieurs méthodes naturelles pour retarder le développement ou combattre les rides. Ce lait de toilette au citron vert fait partie des moyens naturels les plus efficaces pour contrer les marques du temps… Pressez un demi-citron vert et ajoutez-y trois cuillerées à soupe d'huile de germes de blé et une cuillerée à soupe de miel d'acacia. Appliquez ce lait cent pour cent naturel sur votre visage, puis rincez votre peau à l'aide d'une lotion naturelle à la camomille préparée comme une tisane bien corsée.

Rides (retarder le développement des)

jus de citron jaune fraîchement pressé

D'entrée de jeu, il convient d'être très clair : contrairement à ce que tentent de faire croire une multitude de publicités plus onéreuses et tapageuses les unes que les autres, il n'existe à l'heure actuelle aucune crème ou lotion qui soit capable de retarder l'apparition ou même de faire disparaître les rides… qui, elles, sont bien naturelles. Il ne sert donc à rien de dépenser des fortunes en produits intégrant des composants à la réputation parfois douteuse, voire franchement dangereux pour la santé, juste pour obtenir

des résultats tellement insignifiants et dérisoires qu'ils frisent le zéro absolu.

En revanche, il est tout à fait possible de retarder naturellement et économiquement l'apparition et le développement des rides en appliquant, deux ou trois fois par semaine, du jus de citron directement sur la peau du visage et du cou.

Rouge à lèvres
1 rondelle de citron jaune

Il est cent pour cent naturel. Il est non testé sur les animaux. Il n'intègre aucun composant toxique. Il est super-économique. Voici votre tout nouveau rouge à lèvres écologique !

Redonnez à vos lèvres une belle couleur rouge et naturelle en les frottant chaque matin avec une rondelle de citron. Ce dernier va stimuler la circulation sanguine à l'intérieur de vos lèvres et donc rendre vos lèvres bien rouges.

Mes conseils en plus

Bien entendu, seul du citron de qualité biologique certifiée doit être utilisé.

Savon (confectionner du)
copeaux de savon de Marseille • 1 citron jaune
fraîchement pressé • 5 ml de glycérine • eau chaude

Si vous en avez assez des savons industriels comme on en trouve à foison dans le commerce, voici une manière de réaliser vous-même votre savon écologique et économique.

Mélangez tout d'abord des copeaux de savon de Marseille et du jus de citron jaune. Complétez par de l'eau chaude, voire bouillante (celle-ci va dissoudre les petits copeaux de savon de Marseille), puis ajoutez la glycérine. Votre savon « fait maison » est prêt et il n'y a plus qu'à vous laver les mains !

Shampoing (confectionner un)
2 cuil. à soupe de savon de Marseille • 1 cuil. à soupe
d'huile d'olive vierge extra • 1 jaune d'œuf • 1 citron
jaune fraîchement pressé • eau

Dans un petit bol, mélangez intimement deux cuillerées à soupe de savon de Marseille préalablement râpé, une cuillerée à soupe d'huile d'olive vierge extra, un jaune d'œuf et le jus d'un citron jaune. Mouillez ensuite vos cheveux avec de l'eau, comme pour un shampoing classique, puis appliquez votre petite mixture en massant délicatement votre cuir chevelu. Laissez agir la préparation pendant quinze à vingt minutes environ, puis rincez à l'eau.

Mes conseils en plus

*Ce traitement simple et naturel est parfait pour « booster »
les cheveux fatigués.*

Shampoing hydratant (préparer un)

*1 avocat • 3 cuil. à café d'huile d'avocat • 1/2 citron
jaune fraîchement pressé • quelques feuilles d'aneth •
1 tasse de savon liquide neutre • 1 tasse d'eau tiède*

Coupez l'avocat en deux et dénoyautez-le. Extrayez sa
chair à l'aide d'une petite cuillère et écrasez-la dans un bol,
jusqu'à obtention d'une pâte fine et parfaitement homogène. Incorporez-y trois cuillerées à café d'huile d'avocat,
le jus du demi-citron jaune et quelques feuilles d'aneth
préalablement ciselées finement. Mélangez bien tous ces
ingrédients, puis versez par-dessus une tasse d'eau tiède
ainsi que le savon liquide. Transvasez cette préparation dans
le bol d'un mixeur et actionnez l'appareil jusqu'à obtention
d'un liquide fort peu épais. Utilisez cette préparation pour
masser votre cuir chevelu et vos cheveux jusqu'à obtenir de
la mousse. Laissez agir pendant une quinzaine de minutes,
puis rincez à l'eau tiède.

Mes conseils en plus

✤✤✤

L'avocat – qui, dans ce cas, sera choisi bien mûr – est un fantastique cosmétique naturel. Il est riche en provitamine A, mais aussi en vitamines B, C et E. Utilisé comme shampoing, il est surtout indiqué pour les cheveux cassants ou fatigués.

Taches de rousseur (atténuer les)
jus de citron jaune fraîchement pressé • sel

Si vous désirez atténuer vos taches de rousseur, appliquez quotidiennement du jus de citron très légèrement salé.

Mes conseils en plus

✤✤✤

Les taches de rousseur, encore appelées éphélides, correspondent à des augmentations de la pigmentation. Là où elles sont présentes, la peau contient nettement plus de mélanine, un colorant foncé. Plus on a de mélanine et plus on a une peau foncée. Lorsque cette mélanine est extrêmement concentrée

en un point précis, cela donne un grain de beauté. Mais si, par contre, elle est fort peu concentrée, cela donne ce que l'on appelle une tache de rousseur.

L'apparition des taches de rousseur est héréditaire, inscrite dans les gènes. Les parents les transmettent aux enfants et il ne s'agit en aucune manière d'une maladie ou d'une anomalie de la peau. C'est un caractère aussi normal et naturel que la couleur des cheveux ou des yeux, par exemple. Elles sont nettement plus présentes chez les personnes rousses ou blondes aux yeux bleus.

Qu'on se le dise : il est impossible de faire disparaître totalement des taches de rousseur, mais il est cependant possible de les atténuer si on le désire. Pour ce faire, il existe dans le commerce des produits dépigmentants qui sont à éviter absolument. Ils sont, sans la moindre exception, extrêmement toxiques et contribuent en outre à créer des plaques blanches sur la peau. En effet, comme il est impossible de les appliquer exclusivement sur les taches de rousseur sans déborder, on se crée des zones de peau nettement plus blanches (ou dans certains cas, nettement plus foncées) tout à fait disgracieuses et inesthétiques. Ces dangereux produits dépigmentants sont parfaits si l'on veut faire croire que l'on s'est offert une séance de bronzage… à travers une passoire. Mais, contrairement au bronzage, l'effet de ces produits toxiques a une très longue durée… Pour atténuer les taches de rousseur, la méthode la *plus saine reste donc l'utilisation judicieuse d'un peu de jus de citron légèrement salé.*

Teint (éclaircir le)
jus de citron jaune fraîchement pressé

Si vous avez envie d'éclaircir naturellement votre teint, songez au citron et à ses propriétés astringentes. Imbibez un morceau de coton propre de jus de citron et appliquez directement sur la peau.

Teint (éclatant)
jus de citron jaune fraîchement pressé • 1 verre d'eau tiède

Pour conserver un teint éclatant, faites une fois de plus confiance au jus de citron jaune. Chaque matin, buvez un verre d'eau tiède additionnée de jus de citron. Les premiers effets se font déjà sentir au bout de huit à dix jours, mais l'idéal est de poursuivre ce traitement, en cure, pendant deux à trois semaines.

Santé et bien-être

Ampoules (prévenir la formation des) (1)

1/2 citron jaune

Pour prévenir la formation d'ampoules, qui peuvent s'avérer bien douloureuses dans certains cas, la meilleure solution naturelle consiste à vous frotter les mains ou les pieds avec le jus d'un demi-citron jaune.

Mes conseils en plus

Comme les ampoules aux pieds, les ampoules aux mains résultent d'un frottement longuement répété et il s'agit donc de brûlures mécaniques. Si, aux pieds, des chaussures inadaptées sont souvent tenues pour responsables, aux mains, par contre, les ampoules sont souvent la conséquence d'une activité physique inhabituelle : séance sportive, bricolage, jardinage… Si la cause de l'ampoule ne semble pas bien définie, un avis médical peut être intéressant, car il existe certaines maladies de la peau, dont plusieurs maladies graves, dont l'un des symptômes est justement la formation de bulles similaires à des ampoules bénignes.

La prévention passe par le port de protections : par exemple des gants pour bricoler ou jardiner.

Lorsque l'ampoule est apparue, il est possible de la laisser telle quelle, en attente de sa disparition spontanée. Mais il est aussi possible de la percer pour y appliquer un antiseptique desséchant et un pansement. Autre solution : l'enlever et apposer un pansement mousse sur la petite plaie.

Ampoules (prévenir la formation des) (2)

jus de citron jaune fraîchement pressé • camphre

Une autre solution s'offre à vous si vous souhaitez prévenir la formation de ces fameuses ampoules : endurcissez votre peau de manière naturelle. Pour cela, badigeonnez la peau (celle de vos pieds, par exemple) avec un mélange de jus de citron jaune et de camphre. Appliquez ensuite une bonne crème hydratante de qualité biologique.

Amygdales (soulager une inflammation des)

2 citrons jaunes fraîchement pressés • 5 g de bicarbonate de soude • 2 cuil. à soupe d'eau en bouteille

Mélangez le jus des deux citrons jaunes au bicarbonate de soude, sans cesser de remuer jusqu'à ce que le bicarbonate

soit complètement dissous. Laissez reposer pendant deux ou trois minutes, puis incorporez dans cette préparation deux cuillères à soupe d'eau en bouteille. Mélangez une nouvelle fois, puis utilisez cette préparation pour vous gargariser autant de fois que nécessaire. Après chaque séance de gargarisme, rincez-vous la bouche à l'eau fraîche.

Mes conseils en plus

Il est fortement conseillé, une fois le gargarisme préparé, d'en faire trois à cinq séances quotidiennes, jusqu'à amélioration de votre état. Le jus de citron jaune a bien sûr des vertus antiseptiques et antibactériennes.

Angine (soulager une)

1 citron jaune fraîchement pressé • 1 pincée de gros sel marin gris • 1/2 verre d'eau tiède

Pour soulager et soigner naturellement une angine, il est tout à fait possible d'effectuer des gargarismes de jus de citron. Pour cela, diluez le jus d'un citron jaune dans un demi-verre d'eau tiède, puis ajoutez-y une petite pincée de gros sel marin gris. Mélangez bien ces divers ingrédients et gargarisez-vous l'arrière-gorge avec ce mélange deux à quatre fois par jour, jusqu'à amélioration de votre état. Lors de chaque gargarisme, faites durer l'opération pour que le citron ait le temps d'agir. N'oubliez pas de recracher.

Mes conseils en plus

Gorge irritée, déglutition douloureuse, frissons dans tout le corps, maux de tête… Pas de doute ! L'angine est bel et bien capable de vous clouer au lit. Très fréquente chez les enfants de cinq à quinze ans notamment, l'angine est une inflammation d'origine infectieuse des amygdales. Elle est d'origine virale dans la toute grande majorité des cas (entre 50 et 90 % des cas) et rarement d'origine bactérienne. On estime que, chaque année, elle touche près de neuf millions de personnes. D'origine virale, elle guérit en principe spontanément au bout de quelques jours (il est donc inutile d'abuser des antibiotiques) mais, dans l'intervalle, l'important est de traiter les symptômes (fièvre…) et de soulager les douleurs qu'elle peut causer.

Aphte (combattre un)
1/2 citron jaune fraîchement pressé • eau tiède

Voici un remède fort efficace pour combattre un aphte : un bain de bouche au citron jaune réalisé à base d'une préparation composée du jus d'un demi-citron (un tiers du volume total) et d'eau tiède (deux tiers du volume total). Mélangez bien ces deux ingrédients, puis conservez ce bain en bouche pendant environ trente secondes avant de le recracher. Au besoin, répétez cette petite opération à plusieurs reprises.

Mes conseils en plus

Les médecins nous apprennent qu'un aphte est une petite ulcération au niveau de la bouche. Blanche (avec parfois un centre plus jaunâtre) entourée d'une zone plus rouge, elle se présente comme une petite érosion de la muqueuse. Les aphtes se situent généralement sur la face intérieure des joues, sur ou sous la langue, plus rarement au niveau des gencives. En fonction de leur emplacement notamment, ils peuvent être plus ou moins douloureux. Ils apparaissent généralement de manière spontanée suite à une blessure infligée par un objet (les dents d'une fourchette, par exemple) ou par un aliment (un os de volaille, une arête de poisson… voire même une croûte de pain). Mais ils peuvent aussi apparaître après s'être mordu la joue. Certains spécialistes estiment que divers aliments peuvent être susceptibles de favoriser l'apparition et le développement des aphtes. C'est, entre autres, le cas du chocolat ou des noix. En principe, les aphtes disparaissent aussi spontanément qu'ils sont apparus, après huit ou dix jours. Le traitement au citron préconisé ci-dessus les fait cependant disparaître plus vite, en principe. Si leur présence dure plus longtemps, les conseils d'un médecin peuvent être utiles.

Artériosclérose (combattre l')
1 citron jaune fraîchement pressé

Afin de combattre naturellement les principaux méfaits de l'artériosclérose, faites des cures régulières de jus de citron jaune. Pendant une semaine, buvez chaque matin, à jeun, un jus de citron. Interrompez le traitement pendant une semaine, puis recommencez-le. Faites durer cette séquence pendant environ trois mois, en alternant les semaines avec jus de citron et les semaines sans prise de jus de citron.

Mes conseils en plus

Comme son nom l'indique assez clairement, l'artériosclérose est une dégénérescence des artères. D'ordinaire, on utilise ce terme pour désigner un durcissement accompagné d'un épaississement des parois artérielles. Les parois des vaisseaux se calcifient, perdent de leur élasticité et le diamètre des vaisseaux se rétrécit de plus en plus. Par voie de conséquence, le sang ne peut plus circuler normalement. Toutefois, ce processus est lent et progressif. Il faut cependant savoir que les hommes sont plus touchés que les femmes. L'hypertension artérielle est un facteur de risque. L'obésité, la sédentarité, un taux élevé de cholestérol, l'excès de sel, le tabagisme… mais aussi certains facteurs génétiques peuvent aussi provoquer ou aggraver l'artériosclérose.

Ballonnements (soulager les)

1 citron jaune • 5 g de fleurs séchées de camomille •
1 tasse d'eau chaude

Pour soulager les ballonnements, préparez-vous chaque soir une infusion composée d'un citron (biologique, bien sûr) coupé en tranches, de cinq grammes de fleurs séchées de camomille et d'une tasse d'eau chaude. Laissez infuser toute la nuit puis, le lendemain matin, filtrez et buvez cette préparation à jeun.

Mes conseils en plus

Vous trouverez les fleurs séchées de camomille dans les pharmacies les mieux approvisionnées, mais aussi dans les herboristeries et dans certaines boutiques spécialisées en produits biologiques. Autre possibilité : récoltez vous-même des fleurs de camomille au début de l'été et faites-les sécher.

Il faut cependant savoir que la camomille possède une saveur très spécifique qui n'est pas du goût de tout le monde. Vous pouvez l'associer, à parts égales, avec de la menthe ou du tilleul, sans que cela altère les vertus et propriétés de la camomille.

L'infusion de camomille est habituellement recommandée pour les troubles digestifs et les insomnies. Elle a aussi la réputation de limiter la douleur des maux de tête.

Boutons de fièvre (faire disparaître les)

jus de citron jaune fraîchement pressé

Dès qu'un disgracieux bouton de fièvre pointe le bout de son nez, avec son lot de démangeaisons, pressez un citron jaune et récoltez-en tout le jus. Imbibez-en un morceau de

coton propre, puis tamponnez le bouton. Répétez cette petite opération le plus souvent possible, jusqu'à disparition du bouton.

Mes conseils en plus

Les boutons de fièvre, que l'on connaît parfois sous l'appellation de « feu sauvage », sont causés par un virus. Ils apparaissent en principe surtout sur les lèvres et, s'ils sont fortement contagieux, ils ne sont en aucun cas véritablement dangereux. Le virus qui est à l'origine est connu sous le nom de « herpès simplex type 1 ». Les principaux facteurs déclencheurs de ces boutons sont une fièvre due à l'une ou l'autre infection, un coup de soleil, une vive tension morale ou physique, une irritation physique des lèvres (suite à une visite chez le dentiste, par exemple), les menstruations ou un temps assez froid. Il est à noter que le virus responsable, herpès simplex type 1, ne disparaît jamais totalement, si bien que les boutons de fièvre peuvent réapparaître plus tard, en fonction des circonstances et de l'apparition des facteurs déclencheurs. Une bonne nouvelle cependant : ils laissent rarement des cicatrices.

Bronchite (enrayer une)

jus de citron jaune fraîchement pressé • 1 cuil. à soupe de miel de qualité biologique • eau chaude

Un début de bronchite ? Pour l'enrayer rapidement, il vous suffit d'avaler, après chaque quinte de toux, une généreuse cuillerée à soupe de miel additionné de quelques gouttes de jus de citron jaune.

D'autre part, pour compléter l'effet du petit traitement précédent, buvez aussi souvent que possible de l'eau chaude additionnée de miel et de jus de citron.

Brûlure (soulager une)

3 citrons jaunes fraîchement pressés • eau froide

Dès que vous vous êtes brûlé, passez la brûlure sous un filet d'eau froide pendant une dizaine de minutes. Ensuite, appliquez dessus le jus de trois citrons jaunes préalablement dilué dans de l'eau froide. Ce petit traitement va fortement atténuer la douleur tout en désinfectant votre peau. Il facilite aussi une bonne cicatrisation.

Mes conseils en plus

Il est évident que le traitement préconisé, pour efficace qu'il soit, n'est valable que pour des brûlures légères. En cas de brûlure plus profonde, une consultation médicale peut s'imposer.

Cholestérol (faire baisser le taux de)
jus de citron jaune fraîchement pressé

Saviez-vous que la prise régulière – et si possible quotidienne – de jus de citron jaune a pour effet de faire baisser le taux de mauvais cholestérol ?

Mes conseils en plus

D'entrée de jeu, il faut savoir que le cholestérol est la matière lipidique la plus répandue dans le monde animal et la plus importante au niveau métabolique. Il s'agit d'un constituant essentiel de nos cellules, mais aussi d'un constituant essentiel de la bile et d'un élément essentiel pour la fabrication dans l'organisme de diverses substances telles que la vitamine D.

Bien entendu, il n'existe pas deux molécules différentes de cholestérol, mais celui-ci est véhiculé dans le sang par des systèmes de transport aux rôles assez différents. D'un côté, il y a les lipoprotéines LDL (ou lipoprotéines de basse densité) et, d'autre part, on trouve les lipoprotéines HDL (ou lipoprotéines de haute densité). C'est ce qui implique que l'on fasse la différence entre le cholestérol-LDL et le cholestérol-HDL.

Le premier dépose le cholestérol sur les parois des artères. Il se forme alors progressivement des plaques de graisse que les spécialistes appellent athéromes. Dans ce cas, on parle de mauvais cholestérol.

Le second récupère le cholestérol dans les organes qui en ont trop pour le transmettre au foie, où il est éliminé. Par la même occasion, les artères sont nettoyées des dépôts graisseux et le risque de voir apparaître des plaques athéromateuses est réduit. On évoque alors le bon cholestérol.

L'excès de mauvais cholestérol et une carence plus ou moins marquée en bon cholestérol sont d'importants facteurs de risques de maladies cardio-vasculaires.

Circulation sanguine (améliorer la) (1)

jus de citron jaune fraîchement pressé • argile en poudre • eau

Pris chaque matin, un verre d'eau argileuse additionnée de jus de citron a la réputation d'améliorer la circulation sanguine.

Circulation sanguine (améliorer la) (2)

3 cuil. à soupe de moutarde en graines • quelques gouttes d'essence de lavande • 2 cuil. à café de piment de Cayenne en poudre • 1/2 citron jaune fraîchement pressé

Pour stimuler la circulation du sang, voici un cataplasme à la moutarde, au piment et au citron qui fera certainement merveille... Mettez trois cuillerées à soupe de moutarde en graines dans un bol, puis ajoutez quelques gouttes d'essence de lavande et deux cuillerées à café de piment de Cayenne en poudre. Mélangez intimement ces divers ingrédients. Ajoutez-y le jus du demi-citron jaune. Si la préparation vous semble trop liquide, vous pouvez ajouter un peu de moutarde en graines. Mélangez bien jusqu'à obtention d'une pâte très homogène et épaisse. Étalez ensuite une ou deux cuillerées du mélange sur une gaze, puis fermez soigneusement celle-ci. Placez le cataplasme sur l'extrémité du corps où la circulation mérite d'être améliorée et où vous ressentez fourmillements et engourdissements.

Mes conseils en plus

Une mauvaise circulation sanguine provoque souvent des fourmillements et des engourdissements (parfois même des engelures) aux extrémités des membres supérieurs et/ou inférieurs. Le piment de Cayenne et les graines de moutarde favorisent le réchauffement et permettent donc de mieux lutter contre cette mauvaise circulation. Le citron est également précieux pour combattre les troubles circulatoires. L'essence de lavande, quant à elle, est surtout présente afin d'apporter un parfum doux et apaisant au cataplasme. Il vous est encore possible d'ajouter de la cannelle moulue à la préparation ; celle-ci étant réputée stimuler la circulation périphérique (dans les doigts et les orteils).

Conjonctivite (combattre la)

2 à 3 gouttes de jus de citron jaune fraîchement pressé

Pour combattre une conjonctivite, voici un petit remède qui a déjà largement fait ses preuves : glissez dans l'œil deux à trois gouttes de jus de citron, et cela trois fois par jour (le matin, le midi et le soir). En alternance,

appliquez aussi un petit tampon de coton propre légère-
ment imbibé de jus de citron. Celui-ci va désinfecter la zone
atteinte.

Mes conseils en plus

Avant d'utiliser ce remède, l'avis de votre ophtalmologue est requis.

Trouble assez commun de l'œil, la conjonctivite est une inflammation de la conjonctive, la membrane qui recouvre la partie blanche de l'œil et l'intérieur de la paupière. Cette membrane comprend des petits vaisseaux sanguins dont le volume augmente lorsque la conjonctive est irritée. C'est ce qui provoque la rougeur de l'œil. Une conjonctivite peut avoir quatre origines différentes : virale, bactérienne, allergique ou irritative. Les deux premières causes sont les plus répandues. Les traitements médicaux peuvent varier en fonction du type de conjonctivite.

Constipation (combattre une légère)

1 citron jaune fraîchement pressé • 1 cuil. à soupe d'huile d'olive vierge extra • 1 pincée de sel fin

Vous pouvez venir à bout d'une légère constipation grâce au remède suivant... Dans un verre, mélangez intimement le jus d'un citron jaune et une cuillerée à soupe d'huile d'olive vierge extra. Incorporez ensuite une toute petite pincée de sel. Buvez ce breuvage chaque matin, à jeun, jusqu'à amélioration de votre état.

Mes conseils en plus

Ce traitement est valable pour combattre une constipation légère. En cas de très forte constipation, ou si les symptômes persistent, un avis médical peut s'avérer utile.

Coup de froid (combattre un)

jus de citron jaune fraîchement pressé

Si vous avez pris froid, coupez directement ce coup de froid avant qu'il ne dégénère en buvant un grand verre de jus de citron bien chaud.

> ## Mes conseils en plus
>
> ❧❦❧
>
> *Ce remède vous fait profiter de la richesse du citron en vita-*
> *mine C, essentielle pour combattre coup de froid, rhume…*

Coup de pompe (soulager un)
jus de citron jaune fraîchement pressé • eau

Il se peut que, entre deux repas peut-être
un peu trop lourds ou copieux, vous ressentiez ce que l'on
appelle familièrement un « coup de pompe ». Souvent, le
premier réflexe est de se ruer sur des sucreries industrielles
ou des barres dites énergétiques. Il existe pourtant une
alternative nettement plus simple, beaucoup plus efficace,
assurément plus naturelle et infiniment plus économique :
buvez tout simplement un verre d'eau additionnée de jus de
citron. Tout à fait disparu, le coup de pompe !

Coup de soleil (soulager un)
jus de citron jaune fraîchement pressé • miel de
qualité biologique

Un petit coup de soleil ? Appliquez sans tarder un mélange
composé de miel de qualité biologique et de jus de citron

jaune, à parts égales. Ce petit traitement va atténuer la douleur causée par le coup de soleil et empêcher la formation de cloques.

Mes conseils en plus

Il existe d'autres remèdes naturels pour soulager un coup de soleil. L'un d'eux fait appel au bicarbonate de soude : il suffit d'appliquer sur la zone touchée une compresse préalablement imbibée d'une solution composée de vingt-cinq centilitres d'eau froide et d'une cuillerée à soupe de bicarbonate. Cette compresse est à renouveler tous les quarts d'heure jusqu'à disparition de la sensation de brûlure.

Ces remèdes, pour efficaces qu'ils soient, ne sont valables que pour des coups de soleil légers. En cas de problème plus sérieux, un avis médical peut s'avérer utile.

Brûlure induite par les rayons ultraviolets (UV), le coup de soleil se traduit, entre autres, par une peau rouge et douloureuse. Sa gravité est fonction du type de peau, de la durée et de l'intensité de l'exposition aux rayons UV, ainsi que de la localisation du problème. Survenant seulement quelques heures après l'exposition, le coup de soleil disparaît en principe dans les jours qui suivent en provoquant une desquamation (on dit alors que la peau « pèle ») ainsi qu'une zone dépigmentée.

En cas de coup de soleil, la toute première chose à faire est de se réfugier à l'ombre et d'éviter toute exposition. Boire de l'eau en abondance est aussi à recommander afin d'éviter toute déshydratation. Pendant les deux jours qui suivent le coup de soleil, si les douleurs deviennent intenables, ou si une fièvre apparaît, un avis médical est à solliciter. Pour éviter le coup de soleil, l'application d'une crème véritablement protectrice, de qualité biologique, est à conseiller. Ces applications doivent être modulées en fonction de la sensibilité de la peau, de l'exposition aux rayons ultraviolets et de leur intensité. Les heures de plus fort ensoleillement (généralement entre 12 et 15 ou 16 heures) sont à éviter par les personnes les plus sensibles.

Coupe-faim
jus de citron jaune fraîchement pressé • eau froide

Bonne nouvelle ! Outre le fait qu'il est fort peu calorique et délicieux au goût, le citron peut aussi se targuer d'être un excellent coupe-faim naturel grâce à la pectine qu'il contient. Si vous désirez modérer quelque peu votre appétit, buvez quelques minutes avant chaque repas un verre d'eau froide additionnée de jus de citron.

Mes conseils en plus

Cette astuce est bien entendu beaucoup plus saine et nettement plus économique que les produits « coupe-faim » vendus en pharmacie ou dans la grande distribution.

Cystite (combattre une)
jus de citron jaune fraîchement pressé • eau

Pour combattre naturellement une cystite, le citron se montre, une fois de plus, d'une réelle efficacité. Plusieurs fois par jour, et ce jusqu'à guérison, buvez du jus de citron additionné d'eau fraîche.

Mes conseils en plus

Une précision, toutefois : à lui seul, le jus de citron ne parviendra probablement pas à prévenir ou à soigner vos cystites. Mais il y contribuera efficacement. D'autres mesures, simples et également efficaces, peuvent être prises. Notamment une diète alcaline d'environ quinze jours, toujours bénéfique. Avec les conseils et l'aide de votre médecin traitant bien entendu.

La cystite est une inflammation de la vessie, généralement d'origine bactérienne. Mais elle peut aussi être causée par ce que l'on appelle un agent toxique : radiothérapie ou traitement anticancéreux, par exemple. La cystite est plus répandue chez les femmes car celles-ci ont un urètre court, ce qui accroît les risques d'infections urinaires.

Déminéralisation

1 œuf entier de qualité biologique • jus de citron jaune fraîchement pressé

Si vous souffrez de certains problèmes de déminéralisation, voici une recette qui passe pour être infaillible : versez un œuf entier, coquille comprise, dans un verre, puis couvrez généreusement de jus de citron jaune. Laissez macérer pendant une nuit, puis buvez le liquide le lendemain matin.

Répétez ce petit traitement pendant deux à trois semaines, quotidiennement.

Mes conseils en plus

Avec ce remède 100% naturel, vous profitez à la fois des miné-raux contenus dans la coquille de l'œuf (c'est pourquoi il est si important qu'il soit de qualité biologique) et du pouvoir fixant du jus de citron.

Dépuratif (confectionner un) (1)

4 carottes • 1 citron jaune fraîchement pressé • 8 gouttes d'huile essentielle de géranium

Pour stimuler la production d'urine et faciliter l'élimination des déchets par les reins, voici un jus de carotte et de citron dépuratif d'une rare efficacité. Sa préparation est fort simple… Grattez les carottes, puis lavez-les sous l'eau froide courante. Séchez-les et coupez leurs extrémités avant de tailler chaque carotte en petits morceaux. Ajoutez-y du jus de citron, puis huit gouttes d'huile essentielle de géranium. Remuez bien tous les ingrédients, puis passez le mélange ainsi obtenu au mixeur, jusqu'à obtention d'un jus très homogène et un peu épais. Il n'y a plus qu'à déguster, à raison d'un demi-verre chaque jour.

Mes conseils en plus

Le citron apporte non seulement une subtile petite note aci-dulée à la préparation, mais il a aussi un autre rôle : c'est un tonique du foie et du pancréas. De son côté, fréquemment utilisée en aromathérapie, l'huile essentielle de géranium possède des vertus diurétiques. Pour la conserver dans les meilleures conditions, gardez-la dans son flacon de verre her-métiquement fermé, à l'abri de la lumière.

Dépuratif (confectionner un) (2)

quelques pommes • 1/2 citron jaune fraîchement pressé • 3 ou 4 gouttes d'huile essentielle de cannelle • eau minérale

Voici un autre jus dépuratif qui vous fera vraiment du bien...
Épluchez les pommes et coupez-les en deux. Éliminez le cœur et les pépins, puis coupez les demi-pommes en quar-tiers, puis en dés. Arrosez-les de jus de citron jaune et de trois ou quatre gouttes d'huile essentielle de cannelle. Remuez le tout à la cuillère, puis versez un filet d'eau miné-rale. Transvasez cette préparation dans le bol d'un mixeur et actionnez l'appareil jusqu'à obtention d'un jus (rajoutez de l'eau minérale si ce jus vous semble trop épais).

Buvez un verre de cette préparation, trois fois par jour, comme dépuratif naturel.

> ## Mes conseils en plus
>
> *Si vous n'avez pas d'huile essentielle de cannelle sous la main, vous pouvez la remplacer par une pincée de cannelle en poudre.*
>
> *À la condition qu'elles soient de qualité biologique, les pommes possèdent plusieurs vertus médicinales parmi lesquelles une puissante action dépurative. Boire un demi-litre de jus de pommes fraîchement pressées est d'ailleurs vivement conseillé en cas de calculs urinaires, mais aussi en cas de rhumatismes ou d'arthrose. Dans tous les cas, privilégiez des fruits présentant une peau brillante, sans meurtrissures ou taches sombres.*

Diarrhée (combattre une légère)
1/2 citron jaune fraîchement pressé • eau froide

Pour soulager et combattre une diarrhée légère, vous pouvez une nouvelle fois faire appel au citron aux mille et une vertus. Trois fois par jour, et cela jusqu'à

amélioration de votre état, buvez le jus d'un demi-citron jaune dilué dans de l'eau froide.

Digestion (améliorer la)
1 citron jaune fraîchement pressé • eau chaude

Chaque matin, encore à jeun et donc avant le petit déjeuner, buvez un jus de citron jaune dilué dans un peu d'eau chaude. Cette boisson va contribuer efficacement à nettoyer votre foie et elle vous aidera à mieux digérer les repas du jour.

Écorchure (désinfecter une)
jus de citron jaune fraîchement pressé

Vous venez de vous faire une écorchure ou une égratignure ? Versez sur la plaie quelques gouttes de jus de citron jaune. Celui-ci va désinfecter la plaie et favoriser une bonne cicatrisation. *Attention : ça pique !*

Eczéma (soigner un)
jus de citron jaune fraîchement pressé • eau

Pour soigner un eczéma, de nombreuses personnes privilégient le jus de citron. Appliquez des compresses au jus de citron dilué dans un petit peu d'eau sur la

148

zone du corps concernée. Laissez agir pendant une quinzaine de minutes. Répétez cette opération deux à trois fois par jour, jusqu'à amélioration de votre état.

Mes conseils en plus

D'autres remèdes naturels permettent aussi de soigner un eczéma. L'un d'entre eux privilégie l'utilisation du chlorure de magnésium. Un autre mélange de l'argile illite et de l'huile d'olive vierge extra. Et un autre fait la part belle au bicarbonate de soude. Ce ne sont donc pas les traitements naturels, à l'efficacité souvent prouvée, qui manquent…

L'eczéma est une maladie de la peau qui, malheureusement, semble actuellement en pleine expansion. Parmi toutes les maladies de la peau, il apparaît en effet que l'eczéma est la plus répandue, motivant à elle seule près du tiers des consultations dermatologiques en France. Dans les pays industrialisés, soumis à une très forte pollution générale (et notamment atmosphérique), l'eczéma touche entre 2 et 10 % des adultes, mais jusqu'à 30 % des enfants. La très forte proportion d'enfants touchés est causée, entre autres, par un changement des habitudes alimentaires des nourrissons, de plus en plus soumis à une alimentation industrielle et, par voie de conséquence directe, aux allergènes alimentaires. Alors que de nombreuses études tendent à démontrer que l'allaitement

*maternel exclusif jusqu'à l'âge de trois mois au moins pro-
tégerait efficacement les jeunes enfants contre cette maladie. D'une manière générale, il s'agit d'une inflammation
non contagieuse de la peau accompagnée de rougeurs, de
squames et de désagréables démangeaisons. Les personnes
qui y sont plus particulièrement sensibles peuvent connaître
des « poussées d'eczéma » au cours desquelles les symptômes
s'aggravent ; ces périodes plus difficiles étant entrecoupées
d'autres périodes de rémission. Selon le type d'eczéma (ato-
pique, séborrhéique ou dermatite de contact), les symptômes
peuvent perdurer pendant seulement une à deux semaines
ou se prolonger pendant plusieurs années. Il n'existe pas, à
l'heure actuelle, de véritable consensus médical sur d'éventuelles mesures préventives. On sait toutefois que, pour atténuer les crises, il est préférable d'éviter certains aliments (les
arachides, le blé, le lait de vache, de chèvre et de jument, les
poissons, crustacés et mollusques, le blanc d'œuf, le chocolat…), d'éviter tout stress et de limiter autant que possible
l'exposition aux différents allergènes.*

Effort physique (soutenir un)
1 citron jaune de qualité biologique

Le citron possède cette particularité de
redonner naturellement du tonus pendant l'effort physique,
et notamment pendant les séances sportives. Et cela d'une

manière nettement plus saine et efficace que les produits dopants officiellement interdits mais pourtant largement utilisés par un trop grand nombre de sportifs profession-nels, mais aussi amateurs, et que les boissons prétendu-ment énergétiques qui, en fin de compte, ne sont jamais que des amalgames plus ou moins douteux de substances chimiques.

Si vous prévoyez un effort relativement intense, empor-tez un citron jaune de qualité biologique. Pratiquez-y un petit trou de manière à pouvoir aspirer un peu de son savoureux jus en fonction de vos besoins. Il préviendra la fatigue et le « coup de barre » tout en vous désaltérant bien agréablement.

Engelures (soigner les)
2 citrons jaunes fraîchement pressés • sucre en poudre • eau

Si vous êtes sujet aux engelures, buvez chaque matin, pen-dant les périodes les plus difficiles pour vous, le jus sucré de deux citrons jaunes. En fonction de votre goût, vous pouvez le diluer dans un peu d'eau ou pas.

En complément, il vous est aussi possible de vous friction-ner les doigts et les orteils avec la pulpe des fruits qui ont été utilisés pour confectionner votre jus matinal.

Mes conseils en plus

Bénignes mais trop souvent douloureuses, les engelures accompagnent généralement le retour du froid et de l'humidité. S'apparentant à des gelures locales du premier degré, elles touchent plus facilement les personnes jeunes et les femmes, mais aussi les personnes âgées. Frappant dans la majeure partie des cas les mains, les pieds, le nez et les oreilles, elles sont généralement favorisées par une mauvaise circulation sanguine périphérique, mais peuvent aussi être favorisées par des troubles endocriniens ou des carences en vitamines A, B1, P et PP.

En cas d'engelures, il faut éviter de réchauffer la peau trop rapidement en l'exposant près d'une source de chaleur assez vive (radiateur…). Pour traiter les engelures superficielles, il convient de réchauffer la peau progressivement, avec une chaleur douce. Mais le mieux reste la prévention. Le plus important, dans ce contexte, étant d'être bien couvert : gants chauds et imperméables, bonnes chaussures et chaudes chaussettes, bonnet… Les personnes qui ont souffert d'engelures une fois risquent d'y être confrontées chaque année si elles ne prennent pas les mesures (préventives notamment) nécessaires.

Extinction de voix (traiter une)
1/2 citron jaune fraîchement pressé • 1 cuil. à soupe de miel de qualité biologique • eau tiède

En cas d'extinction de voix, pensez à faire des gargarismes à base de jus de citron. Pour cela, versez le jus d'un demi-citron jaune dans un verre et ajoutez-y la même quantité d'eau tiède ainsi qu'une généreuse cuillerée à soupe de miel biologique. Mélangez intimement ces divers ingrédients et gargarisez-vous avec ce mélange avant de l'avaler. Vous pouvez sans problème répéter cette opération plusieurs fois de suite et aussi plusieurs fois par jour, jusqu'à amélioration de votre état.

Fatigue (soulager la) (1)
1/2 citron jaune fraîchement pressé • miel de qualité biologique • eau

Riche en vitamine C, le citron peut assurément être recommandé pour soulager la fatigue. Plusieurs fois par jour, buvez un mélange composé du jus d'un demi-citron jaune, de la même quantité d'eau et d'un peu de miel biologique.

Fatigue (soulager la) (2)
citrons jaunes de qualité biologique • oranges de qualité biologique • 1 kg de sucre de canne • alcool à 50°

Toujours pour soulager la fatigue, vous pouvez également vous confectionner un petit cocktail « maison » à base de citron.

Zestez quelques citrons jaunes et oranges biologiques, puis faites macérer ces zestes dans de l'alcool à 50° pendant environ une semaine. À l'issue de ce temps de macération, mixez la préparation et filtrez-la soigneusement. Incorporez-y alors un kilo de sucre de canne. Mélangez bien les ingrédients.

Transvasez la préparation ainsi obtenue dans un récipient fermant hermétiquement et offrez-vous un verre de ce délicieux cocktail avant chaque repas.

Fièvre (soulager la)
1/2 citron jaune fraîchement pressé • miel de qualité biologique • 1/2 verre d'eau

En cas de fièvre, buvez plusieurs fois par jour, jusqu'à amélioration de votre état, le jus d'un demi-citron jaune mélangé à un demi-verre d'eau. Éventuellement, vous

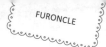

pouvez ajouter un peu de miel biologique, en fonction de votre goût.

Furoncle (ramollir un)
1 citron jaune de qualité biologique

Pour ramollir un furoncle, posez de la pulpe de citron jaune biologique (une épaisse rondelle, par exemple) dessus et maintenez en place pendant environ dix minutes. La douleur causée par le furoncle sera ainsi atténuée.

Mes conseils en plus

Un furoncle, qui n'est autre qu'une infection de la peau, est causé par un staphylocoque. Il est habituellement entouré d'une zone rougeâtre et peut se montrer fort douloureux. On estime parfois que certaines personnes, notamment les diabétiques et les personnes dont le système immunitaire est déficient, sont plus susceptibles que d'autres d'attraper des furoncles. Un furoncle peut aussi apparaître après une prise d'antibiotiques. D'ordinaire, une consultation médicale est totalement superflue, sauf dans les cas suivants : si des stries rouges s'étendent au départ du furoncle, s'il s'accompagne de fièvre, si vous prenez des antibiotiques ou de la cortisone.

Gencives (calmer les saignements de)

1 citron jaune de qualité biologique

Pour calmer des saignements gingivaux, vous pouvez utiliser du citron jaune. Frottez vos gencives avec le ziste (c'est-à-dire la partie blanche sous l'écorce du fruit). Répétez cette opération aussi souvent et longtemps que nécessaire, jusqu'à amélioration.

Gerçures (combattre les)

1 citron jaune fraîchement pressé • 2 ou 3 brins de romarin • sucre glace • 50 cl d'eau

Préparez une décoction de romarin avec deux ou trois brins de romarin et cinquante centilitres d'eau que vous faites frémir pendant environ vingt minutes. Filtrez ensuite soigneusement cette préparation et laissez-la refroidir complètement avant d'y verser un généreux filet de jus de citron jaune. Ajoutez ensuite le sucre glace et remuez bien le mélange à la cuillère. Rajoutez éventuellement du sucre glace jusqu'à obtention d'une pâte onctueuse. Étalez enfin cette crème sur les mains gercées à l'aide d'un petit coton à démaquiller. Laissez agir pendant un petit quart d'heure, puis rincez-vous les mains et séchez-les.

Mes conseils en plus

Le froid peut gercer la peau des mains qui est soumise à de nombreuses agressions. Cette crème à base de citron et de romarin permet d'éviter ces gerçures et de conserver des mains douces tout au long de l'hiver. Il est important de n'utiliser que du sucre glace, qui a une texture tout à la fois fine et douce. Plus le mélange est épais et plus son effet sera adoucissant et protecteur.

Il est aussi intéressant de souligner que cette même préparation peut aussi être appliquée pour soulager les douleurs causées par des petites crevasses apparaissant sur des mains déjà gercées. Une seule précaution : mettre un peu moins de jus de citron.

Goutte (soulager une crise de)
1 citron jaune fraîchement pressé • 1 verre d'eau

En cas de crise de goutte, buvez après chaque repas un verre d'eau mélangée au jus d'un citron jaune. C'est idéal pour neutraliser l'acide urique, principal responsable des crises de goutte.

Gueule de bois (soulager une)
jus de citron jaune fraîchement pressé

Après une soirée beaucoup trop arrosée et alcoolisée, un verre de jus de citron jaune fraîchement pressé, bu à jeun, vous fera oublier la fameuse « gueule de bois » et tous les excès de la veille.

Mes conseils en plus

Tout le monde reconnaît que la meilleure mesure « anti-gueule de bois » est avant tout préventive. Les excès et abus de boissons alcoolisées (surtout celles qui contiennent de fortes doses de méthanol) sont bien entendu à proscrire. Tout comme le fait de consommer de l'alcool en ayant l'estomac vide. Le mélange d'alcool et de médicaments est aussi à éviter absolument.

Hémorroïdes (combattre les)
jus de citron jaune fraîchement pressé

Bien qu'il existe plusieurs remèdes naturels visant à combattre les hémorroïdes et à calmer leurs désagréables démangeaisons, l'un des plus efficaces est à base de citron. Tamponnez les hémorroïdes avec un morceau de

coton propre généreusement imbibé de jus de citron jaune. Pendant une crise, n'hésitez surtout pas à boire beaucoup de jus de citron.

Hoquet (lutter contre le)
1 goutte de jus de citron jaune fraîchement pressé

Ne demandez plus que l'on vous fasse peur ! Pour combattre le hoquet, déposez tout simplement une goutte de jus de citron jaune sur la langue. Effet garanti !

Mes conseils en plus

Même si on en souffre de temps à autre, peu d'entre nous savent exactement ce qu'est le hoquet et quel est son mécanisme. Il s'agit en réalité d'un réflexe respiratoire qui est surtout caractérisé par une succession de contractions respiratoires spasmodiques du diaphragme. En précisant cependant que ces contractions sont totalement involontaires et incontrôlables. Elles sont immédiatement suivies d'un resserrement circulaire de la glotte. Par voie de conséquence, l'arrivée d'air est entravée et celui-ci éprouve de sérieuses difficultés à pénétrer dans la trachée et les poumons. Tout ce processus provoque une vibration des cordes vocales au niveau de l'épiglotte. Survient alors le fameux « hic » caractéristique du hoquet. Certains facteurs peuvent favoriser l'apparition d'un hoquet : un repas trop pantagruélique ou avalé trop rapidement, notamment. Heureusement, dans la toute grande majorité des cas, le hoquet reste passager et relativement bénin. Tout à fait inoffensif, aussi. Dans certains cas, cependant, il peut devenir pathologique et éventuellement nocif pour la santé. Un hoquet chronique « digne de ce nom », si l'on ose ainsi dire, peut durer jusqu'à plusieurs semaines et, dans les cas extrêmes, plusieurs mois. On estime heureusement qu'une seule personne sur cent mille individus peut souffrir de hoquet chronique. Les médecins subdivisent le hoquet en trois catégories distinctes : le hoquet bénin, qui ne dure que quelques minutes ; le hoquet persistant, qui peut durer deux jours ; le hoquet réfractaire, qui peut durer un mois ou plus.

Pour mettre fin à un hoquet bénin, il convient de calmer les contractions du diaphragme. De nombreuses recettes de grands-mères, dont l'utilisation du citron, permettent d'atteindre cet objectif. Plus généralement, d'autres facteurs permettent de réduire les risques d'attraper le hoquet : diminuer la consommation de tabac et/ou d'alcool, manger plus lentement, manger plus léger…

Lourdeurs d'estomac (soulager les)

1/2 citron jaune fraîchement pressé • eau chaude

Vous avez la désagréable impression de ne pas bien digérer votre repas ? Et de souffrir de ce que l'on appelle des lourdeurs d'estomac ? Pas de panique : le citron vient encore une fois à votre secours !

Pressez un demi-citron jaune et mélangez le jus obtenu avec un peu d'eau chaude. Il n'y a plus qu'à boire. En principe, le soulagement est relativement rapide.

Mal de gorge (soulager un) (1)

1 cuil. à café de bicarbonate de soude • 1 cuil. à café de jus de citron jaune fraîchement pressé • eau

Comme il est généralement annonciateur d'une affection plus sérieuse (angine...), le mal de gorge n'est jamais à négliger ou à prendre à la légère. Pour le soulager, diluez une cuillerée à café de bicarbonate et la même quantité de jus de citron dans un verre d'eau tiède. Mélangez et gargarisez-vous avec cette préparation, à raison d'un gargarisme par jour jusqu'à guérison.

Mal de gorge (soulager un) (2)

2 cl de jus de citron jaune fraîchement pressé • 5 cl d'eau tiède

Autre remède à base de citron, fort efficace contre le mal de gorge… Mélangez dans un verre cinq centilitres d'eau tiède et deux centilitres de jus de citron. Gargarisez-vous avec un tel mélange trois ou quatre fois par jour jusqu'à guérison.

Mal de gorge (soulager un) (3)

1 citron jaune fraîchement pressé • 1 cuil. à soupe de miel de qualité biologique • eau chaude

Autre possibilité très efficace avec le jus de citron : pressez un citron et mélangez le jus obtenu avec la même quantité d'eau chaude et une généreuse cuillerée à soupe de miel biologique. Buvez cette préparation chaque soir avant d'aller dormir, jusqu'à soulagement.

Mal de gorge (soulager un) (4)

jus de citron jaune fraîchement pressé

Enfin, un ancien remède naturel met en évidence les compresses au citron, à disposer autour de la gorge. Pour cela, trempez un tissu en coton dans du jus de citron, essorez-le et positionnez-le. Répétez cette opération régulièrement, jusqu'à amélioration de votre état.

162

Mal de gorge (soulager un) (5)

30 g de thym séché • 1 cuil. à café de miel de romarin de qualité biologique • le jus d'1/2 citron jaune fraîchement pressé • 50 cl d'eau

Une infusion de thym, de miel de romarin et de citron se montre aussi d'une rare efficacité pour combattre les affections bénignes de la gorge, mais aussi des bronches. En voici la recette… Faites bouillir un demi-litre d'eau dans une casserole. Dès qu'elle arrive au point d'ébullition, retirez la casserole du feu et jetez-y les trente grammes de thym séché. Couvrez le récipient et laissez infuser pendant une dizaine de minutes. Filtrez ensuite cette infusion au travers d'une fine passoire dans un pot et laissez reposer quelques secondes. Versez alors une partie de cette préparation dans une tasse. Ajoutez-y le jus du demi-citron jaune, remuez, puis incorporez aussi la cuillerée à café de miel de romarin. Remuez une nouvelle fois pour faire dissoudre le miel et buvez aussitôt, lentement.

Mes conseils en plus

Pour une efficacité maximale, répétez cette opération deux à trois fois par jour (en fonction de votre état), jusqu'à guérison.

Outre le fait qu'elle a une saveur particulièrement agréable, cette infusion fait la part belle au citron dont les vertus ne sont plus à démontrer, mais également au thym qui a des propriétés expectorantes et antiseptiques. Ce qui en fait un bon remède pour les maux de gorge et les affections respiratoires.

Mal de tête (soulager un)
jus de citron jaune fraîchement pressé

Pour soulager un mal de tête naturellement, appliquez des compresses de jus de citron (voire même des tranches de citron) sur les tempes et sur le front. C'est une excellente manière de profiter pleinement et rapidement des principes actifs antidouleur du fruit.

Mes conseils en plus

Ce remède se montre fort efficace pour soulager un mal de tête occasionnel. Il ne convient cependant pas dans le cas de migraines chroniques.
Une migraine n'est pas un mal de tête et inversement. On parle de migraine lorsque les éléments suivants sont réunis à plusieurs occasions (au moins cinq à six fois) :

- *la durée de la crise oscille entre quatre et soixante-douze heures ;*
- *la localisation est unilatérale (c'est-à-dire située d'un côté de la tête), la douleur est dite « pulsatile » (c'est-à-dire que cela « tape » dans la tête) et est aggravée par l'effort physique (certaines tâches quotidiennes aussi simples que monter un escalier peuvent être affectées…) ;*
- *certains symptômes associés apparaissent, tels que nausées, vomissements, sensibilité au bruit et/ou à la lumière…*

Nez (calmer un saignement de)
jus de citron jaune fraîchement pressé

Pour calmer un saignement de nez, introduisez dans la narine concernée un petit morceau de coton propre imbibé de jus de citron jaune. Ensuite, appuyez sur l'aile du nez avec le doigt. Penchez aussi votre tête en arrière pendant quelques minutes et conservez le petit morceau de coton citronné pendant quelques heures.

Œdème (soigner un)
jus de citron jaune fraîchement pressé

Si vous avez des bleus ou des contusions, appliquez dessus des compresses de jus de citron jaune glacé.

Mes conseils en plus

Cette petite astuce est également radicale pour faire rapidement disparaître une petite bosse.

Otite (soigner une)
jus de citron jaune fraîchement pressé

Il ne faut jamais attendre pour prendre une otite à bras-le-corps et la soigner efficacement et de manière naturelle. Pour cela, l'une des meilleures astuces consiste à tamponner le pourtour de l'oreille atteinte avec un morceau de coton propre imbibé de jus de citron jaune.

Complémentairement, pour renforcer l'action du coton citronné, vous pouvez aussi glisser dans l'oreille deux ou trois petites gouttes de jus de citron, et ce trois fois par jour, jusqu'à amélioration de votre état. Grâce à ces deux astuces idéalement complémentaires, vous bénéficierez ainsi pleinement de toutes les propriétés antiseptiques du fruit.

Mes conseils en plus

Pour être complet, il faut mentionner le fait qu'il existe d'autres remèdes naturels pour soigner les otites. L'un fait appel au chlorure de magnésium ; l'autre à l'argile illite. Dans ce dernier cas, il s'agit d'appliquer des cataplasmes argileux sur l'oreille, à renouveler dès que l'argile devient chaude. Un seul impératif : les cataplasmes doivent être suffisamment grands pour couvrir l'oreille entière et déborder un peu tout autour de celle-ci.

Piqûre d'insecte (traiter une)
jus de citron jaune fraîchement pressé

Quelques gouttes de jus de citron jaune versées directement sur la piqûre s'avèrent particulièrement efficaces pour soulager les démangeaisons. Il est cependant possible que vous deviez répéter cette opération à plusieurs reprises pour obtenir un résultat satisfaisant.

Mes conseils en plus

Autre possibilité, toujours à base de citron jaune : appliquer une rondelle de citron de qualité biologique directement sur la piqûre et la maintenir en place.

Rétention d'eau (lutter contre la)

jus de citron jaune fraîchement pressé • eau

Il n'existe probablement qu'une seule méthode naturelle vraiment efficace pour lutter contre la rétention d'eau : buvez quotidiennement, et cela plusieurs fois par jour, de l'eau citronnée.

Mes conseils en plus

Se traduisant la plupart du temps par une sensation de gon-flement, surtout au niveau des chevilles et des pieds (en raison de la gravité), la rétention d'eau est un problème qui frappe plus souvent les femmes que les hommes. En temps normal, le corps humain est composé à 75 % d'eau. Les reins assurent l'équilibre entre l'eau que l'on absorbe et celle que l'on élimine (via la transpiration, l'urine et les selles). La rétention d'eau survient lorsque l'organisme emmagasine plus d'eau qu'il n'en élimine. Chez les femmes, cette rétention d'eau peut être liée aux fluctuations hormonales ou à une mauvaise circulation lymphatique. Mais la grossesse, l'exposition à la chaleur, un dysfonctionnement du foie, une insuffisance cardiaque, une alimentation trop riche en sel, une station debout prolongée et fréquente… peuvent aussi provoquer une rétention d'eau. Surélever les jambes au repos, éviter de porter des vêtements serrés, manger des fruits et légumes favorisant le transit, adopter une alimentation pauvre en sel… font partie des meilleures méthodes pour prévenir ou soulager cette rétention.

Rhumatismes (soulager les)

1 carotte • 1 citron jaune

Pour soulager vos rhumatismes, vous pouvez confectionner et savourer chaque jour un jus naturel composé d'une carotte et d'un citron.

Rhume de cerveau (soigner un) (1)
1 goutte de jus de citron jaune fraîchement pressé

Une goutte de jus de citron jaune posée à la base du nez, directement sur la muqueuse suffit, paraît-il, pour enrayer un début de rhume.

Rhume de cerveau (soigner un) (2)
1 citron jaune fraîchement pressé • 1 pincée de piment en poudre • miel de qualité biologique • eau chaude

Pour combattre le rhume, préparez-vous une boisson « faite maison » composée du jus d'un citron jaune, d'une petite pincée de piment en poudre, de miel biologique (selon le goût) et d'eau chaude. Mélangez bien ces divers ingrédients et buvez aussitôt.

N'hésitez pas à consommer ce savoureux breuvage plusieurs fois par jour, jusqu'à disparition des symptômes.

Rhume de cerveau (soigner un) (3)
6 cynorrhodons séchés • 1/2 cuil. à café de mauve séchée • 1 cuil. à café de miel de qualité biologique • citron jaune • eau

Avec l'hiver, rares sont ceux d'entre nous qui échappent aux rhumes. Une fois que celui-ci est installé, il y a moyen de le combattre très efficacement avec une décoction de cynor-rhodon, de mauve et de citron.

En voici la recette… Versez vingt-cinq centilitres d'eau dans une petite casserole et jetez-y les cynorrhodons séchés. Mettez la casserole sur le feu et portez à ébullition, lais-sez frémir pendant une dizaine de minutes. Ajoutez alors la mauve séchée et faites encore frémir le tout pendant cinq minutes environ. Retirez la casserole du feu et lais-sez reposer la décoction pendant quatre ou cinq minutes. Transvasez-la ensuite dans un pot en la passant au travers d'un filtre en papier (type filtre à café). Coupez le citron en deux et pressez l'une des moitiés du fruit dans la décoction soigneusement filtrée. Juste avant de la boire, ajoutez-y une cuillerée à café de miel biologique et remuez pour qu'il se dissolve bien.

Pour encore plus d'efficacité, il est recommandé de boire cette décoction chaude, à jeun, une fois par jour, pendant une bonne semaine.

Mes conseils en plus

Cette préparation médicinale naturelle, parfaite pour rempla-cer certaines médications chimiques, est aussi fort efficace pour lutter contre les maux de gorge, catarrhes et autres états fébriles. Les cynorrhodons (fruits de l'églantier) et la mauve soulagent les troubles respiratoires tandis que le citron fait baisser la fièvre.

Une astuce en plus : pour cette préparation, privilégiez un miel de lavande ou de sapin.

Rhume des foins (combattre le)
jus de citron jaune fraîchement pressé

Grâce à ses flavonoïdes antiallergiques, le citron se montre d'une exceptionnelle efficacité pour combattre le rhume des foins (de même que certaines autres allergies respiratoires).

En cas de crise, introduisez tout simplement quelques gouttes de citron jaune directement dans les narines. Reniflez énergiquement.

Mes conseils en plus

Le rhume des foins – également connu sous la dénomination de « rhinite allergique saisonnière » – est une allergie au pollen des graminées, des herbacées ou des arbres. Il survient surtout au printemps et en été, lorsque les niveaux de pollen sont élevés. Comme pour toute allergie, c'est le contact avec l'élément allergène qui entraîne une réaction immunitaire du corps. Celui-ci libère alors des anticorps dirigés contre l'allergène et de l'histamine, qui est à l'origine des inflammations et des symptômes. Entraînant tout à la fois congestion nasale, yeux rouges, démangeaisons nasales, maux de tête, fatigue… le rhume des foins peut induire, à terme, une sinusite, un asthme ou, chez l'enfant, une otite. Il s'agit donc d'une maladie à surveiller de près et à traiter rapidement et efficacement.

Sinusite (soigner une)

2 citrons jaunes fraîchement pressés • 1 cuil. à café de poivre concassé • 1/2 cuil. à café de gros sel de table • eau bouillante

Le traitement naturel de la sinusite passe par l'utilisation judicieuse du citron. Comment faire ?

Remplissez un bol d'eau bouillante et ajoutez-y le jus de deux citrons jaunes, une cuillerée à café de poivre concassé ainsi qu'une demi-cuillerée à café de gros sel de table. Mélangez intimement ces divers ingrédients, puis penchez-vous au-dessus de ce bol en recouvrant votre tête avec un

linge propre. Faites des inhalations de la manière classique jusqu'à ce que l'eau, bouillante au départ, devienne tout juste chaude.

Toux (soulager une quinte de)

2 citrons jaunes fraîchement pressés • 1 cuil. à soupe de miel de qualité biologique • eau chaude

Vous êtes sujet aux quintes de toux ? Voici un remède qui va immanquablement vous soulager ! Faites fondre une cuillerée à soupe de miel biologique dans une tasse d'eau très chaude. Ajoutez-y le jus des deux citrons jaunes, mélangez et buvez fort chaud. Normalement, la toux devrait se calmer, voire disparaître complètement, après seulement quelques gorgées de ce breuvage.

Turista (soulager une)

1 citron jaune fraîchement pressé • sucre en poudre

La turista, ou diarrhée du voyageur, peut toucher chacun de nous et gâcher le plus beau des voyages.

Si vous ressentez une première attaque de turista, prenez un jus de citron jaune, non dilué, chaud et sucré. Remède en principe souverain !

Mes conseils en plus

Que ce remède ne vous empêche pas de respecter les plus élémentaires notions de prudence : ne pas boire l'eau du robinet, éplucher tous les fruits…

Contrairement à ce que certains voyageurs peuvent parfois imaginer, la tristement célèbre turista n'est en aucun cas due à un changement de régime alimentaire, à un changement de climat ou à la fatigue du voyage. Elle a toujours une origine infectieuse, souvent bactérienne (colibacille, shigelles, salmonelles…), parfois parasitaire, mais rarement virale.

Sur la base des statistiques, certains pays semblent plus potentiellement « dangereux » que les autres. Il s'agit, notamment, de l'Inde, de l'Espagne, du Portugal… (pour les salmonelles), de l'ensemble de l'Amérique du Sud, du Proche-Orient, de l'Indonésie… (pour les colibacilles entérotoxiques), et de la Tunisie, de l'Égypte… (pour les shigelles).

Urticaire (combattre l')

5 ou 6 feuilles d'ortie dioïque • 2 rondelles de citron
jaune de qualité biologique • quelques grains de
pollen • 1 cuil. à café de flocons d'avoine • eau froide

En cas de crise d'urticaire, voici une lotion 100% naturelle et « faite maison » qui vous soulagera très efficacement… À l'aide d'une paire de ciseaux, coupez cinq ou six feuilles d'ortie et mettez-les dans un bol à moitié rempli d'eau. Ajoutez-y deux rondelles de citron biologique, puis transvasez le tout dans une petite casserole. Portez ce mélange à ébullition, puis laissez frémir pendant environ vingt minutes. Filtrez ensuite la décoction ainsi obtenue au travers d'une fine passoire. À ce moment, ajoutez quelques grains de pollen et remuez bien pour qu'ils se diluent parfaitement. Terminez enfin la préparation en y incorporant une cuillerée à café de flocons d'avoine. Mélangez. Imprégnez un morceau de coton propre avec cette lotion et tamponnez délicatement la zone de peau affectée par l'urticaire.

Mes conseils en plus

L'urticaire est souvent causée par une réaction allergique. Elle se caractérise essentiellement par une éruption momentanée, accompagnée de démangeaisons et d'une sensation de brûlure. L'ortie dioïque utilisée dans cette lotion est un antiallergique reconnu. Elle va soulager les démangeaisons.

Verrue (traiter une)

3 à 4 citrons jaunes de qualité biologique • 25 cl de vinaigre

Pour traiter et faire disparaître une verrue, il est possible de faire macérer trois ou quatre écorces de citrons jaunes biologiques dans vingt-cinq centilitres de vinaigre pendant environ une semaine. Badigeonnez ensuite la verrue, deux fois par jour, avec cette préparation, jusqu'à disparition du problème.

Mes conseils en plus

Sur un plan strictement médical, les verrues sont des tumeurs cutanées bénignes, non cancéreuses, qui peuvent apparaître sur diverses parties du corps : les pieds, les mains, les genoux, le visage… et même sur les organes génitaux. Elles ont pour origine une infection de la peau causée par un virus (papillomavirus humain ou HPV) dont on dénombre pas moins d'une cinquantaine de types différents, certains faisant apparaître plus volontiers les verrues que d'autres. Selon diverses sources, il semble généralement admis que les verrues apparaissant sur les mains, les coudes et les genoux proviennent plutôt de microtraumatismes, alors que les verrues touchant les pieds seraient dues aux sols des piscines, des salles de sport et de leurs vestiaires ; et cela en vertu du fait que le HPV s'introduirait plus facilement dans un épiderme gorgé d'eau. Dans environ 60 % des cas, les verrues disparaissent spontanément, sans recours à un traitement, dans les deux ans suivant leur apparition. Certains recommandent des traitements chimiques, d'autres des traitements physiques. Mais existe-t-il quelque chose de plus sain qu'un traitement naturel ?

Vers (lutter contre les)

1 citron jaune de qualité biologique • miel de qualité biologique • eau

Le citron est un vermifuge naturel qui se montre particulièrement efficace. Il convient de l'utiliser comme suit : coupez un citron jaune biologique en rondelles et mettez celles-ci dans une casserole. Couvrez d'eau et portez à ébullition. Faites cuire pendant deux ou trois minutes, puis laisser reposer avant de filtrer soigneusement cette préparation. Ajoutez-y un peu de miel (en fonction de votre goût) et buvez.

Maison et jardin

Acier (nettoyer des lames en)

1 volume de jus de citron jaune fraîchement pressé • 5 volumes d'eau

Si vous devez nettoyer des lames en acier – celles de vos couteaux de cuisine, par exemple –, plongez-les dans une eau citronnée, à raison de cinq volumes d'eau pour un seul volume de jus de citron jaune. Si, en outre, vous les frottez avec de la laine d'acier, ces lames retrouveront à coup sûr leur bel éclat d'origine.

Mes conseils en plus

Cette astuce est également valable pour les lames en inox.

Adoucissant (confectionner son)

1 tasse de borax • 1 tasse d'eau chaude • 1 tasse de vinaigre blanc • 8 à 10 gouttes d'huile essentielle de citron

Chimiquement « parfumés » (si l'on ose ainsi dire…) ou non, les adoucissants industriels que l'on trouve dans le commerce sont horriblement chers et fort peu écologiques, sauf pour les produits biologiques et certifiés comme tels. Mais, de toute manière, l'argument financier ne leur est jamais favorable. Alors qu'il est simple et économique de confectionner un adoucissant « fait maison » qui est aussi bon pour votre linge et votre peau, que pour votre machine à laver et l'environnement.

Voici comment procéder… Faites dissoudre une tasse de borax dans la même quantité d'eau chaude, puis laissez quelque peu refroidir. À ce moment, incorporez une tasse de vinaigre et une petite dizaine de gouttes d'huile essentielle de citron. Ajoutez une dose de cette préparation au cours du dernier cycle de rinçage.

Beurre (éliminer une tache de)
1 dose de jus de citron jaune fraîchement pressé • 5 doses d'eau chaude

Voici comment procéder de manière naturelle pour éliminer radicalement une tache de beurre d'un vêtement : plongez le linge ou le vêtement taché dans un bain composé de cinq mesures d'eau chaude pour une mesure de jus de citron jaune. Une fois que le tissu est bien imbibé, frottez la tache, puis lavez le vêtement de la manière habituelle. Rincez et séchez. Disparue, la vilaine tache !

Mes conseils en plus

Cette astuce est valable pour toutes les taches de gras sur les vêtements, et sans danger pour la majorité des textiles.

Boue (éliminer une tache de)

1 dose de jus de citron jaune fraîchement pressé • 2 doses d'eau savonneuse

Une tache de boue sur un vêtement ? C'est embêtant, mais cela n'a rien de catastrophique si vous utilisez la petite astuce suivante… La toute première chose à faire est de bien laisser sécher la boue, puis de la brosser afin d'en éliminer une bonne partie. Vous devez ensuite nettoyer les dernières traces en utilisant une eau savonneuse additionnée de jus de citron jaune, en comptant deux mesures d'eau savonneuse pour une seule mesure de jus de citron. Frottez et rincez.

Carrelage (nettoyer les joints d'un)
jus de citron jaune fraîchement pressé • bicarbonate de soude

Il n'est pas toujours facile (et, d'ailleurs, pas plus agréable...) de nettoyer les joints entre les carrelages de votre cuisine ou de votre salle de bains. Pour plus d'efficacité 100% naturelle, composez votre solution « maison » en mélangeant à parts égales du jus de citron jaune et du bicarbonate de soude, jusqu'à obtention d'une préparation pâteuse. Appliquez celle-ci sur les joints et laissez-la agir pendant quelques minutes. Ensuite, voici le moins agréable : frottez ces joints à l'aide d'une brosse à dents. Rincez enfin généreusement à l'eau claire.

Chaussettes blanches (rendre leur couleur à des)
jus de citron jaune fraîchement pressé • eau chaude

Les chaussettes blanches en coton, qui sont notamment utilisées par de nombreux sportifs, ont souvent tendance à perdre de leur blancheur au fil du temps, des utilisations et des lavages en machine. Elles deviennent grisâtres et nettement moins belles. Pour leur faire retrouver leur blancheur initiale qui vous a ébloui dans le magasin, faites-les régulièrement tremper dans une eau chaude citronnée, complémentairement aux lavages classiques.

Cirage (réhydrater du)
jus de citron jaune fraîchement pressé

Votre cirage est devenu tout sec ? Ne le jetez surtout pas ! Ajoutez-lui quelques gouttes de jus de citron jaune bien chaud pour le réhydrater et lui offrir une seconde jeunesse.

Cuivre (faire briller le) (1)
jus de citron jaune fraîchement pressé • bicarbonate de soude

« Faire les cuivres » est une opération ménagère que nos mères et nos grands-mères connaissaient bien. Elles y mettaient autant de temps et d'ardeur que d'huile de coude… Aujourd'hui, les bibelots et autres objets de décoration en cuivre sont un peu passés de mode. Mais si vous en possédez, vous aimez bien entendu qu'ils soient bien brillants. Pour y arriver sans trop d'efforts, frottez-les énergiquement avec un chiffon imprégné d'un mélange de jus de citron jaune et de bicarbonate de soude. Résultat garanti !

Cuivre (faire briller le) (2)
1 citron jaune • gros sel

Une autre méthode pour faire briller vos objets en cuivre consiste à les recouvrir de gros sel, puis

186

à les frotter avec le côté pulpe d'un citron coupé en deux.
Frottez ensuite avec un chiffon propre et doux.

Dentelle (redonner sa blancheur à la)

jus de citron jaune fraîchement pressé • eau

Certes, la dentelle, délicatement ciselée, semble bien ne
plus avoir les faveurs des maîtresses de maison, aujourd'hui.
C'est peut-être dommage tant il est vrai que certaines pièces
en dentelle sont de véritables œuvres d'art. Cela étant dit,
il y a encore beaucoup de personnes qui possèdent des
nappes, napperons... en dentelle dans leurs tiroirs, délicat
héritage des mères et des grands-mères... Avec le temps,
toutefois, les objets en dentelle ont tendance à perdre de
leur blancheur et à jaunir. Sauf... sauf si vous ajoutez du jus
de citron jaune à la dernière eau de rinçage lorsque vous
les lavez. Il suffit alors de les laisser tremper dans cette eau
citronnée pendant quelques minutes (la durée exacte varie
en fonction de l'état de la pièce de dentelle) pour qu'ils
retrouvent leur blancheur originelle.

Désinfecter

jus de citron jaune fraîchement pressé • sel • eau

Quel que soit l'objet, quelle que soit la surface
que vous désirez désinfecter, vous pouvez appliquer sans la

moindre crainte une même recette aussi naturelle qu'efficace qui vous garantira le succès de l'opération : versez un
peu de jus de citron jaune sur une éponge déjà humide,
puis saupoudrez un peu de sel fin dessus. Frottez l'objet ou
la surface à traiter, puis rincez abondamment à l'eau claire.
Le tour est joué !

Désodorisant pour chaussures (préparer un)

*6 cuil. à soupe de fécule de maïs • 3 cuil. à soupe de
bicarbonate de soude • 20 gouttes d'huile essentielle
de romarin • 20 gouttes d'huile essentielle de
melaleuca • 5 gouttes d'huile essentielle de citron •
4 gouttes d'huile essentielle de girofle*

Mettez la fécule de maïs dans un grand bol et ajoutez-y
le bicarbonate de soude. Mélangez intimement ces ingrédients, puis incorporez-y les vingt gouttes d'huile essentielle de romarin, la même quantité d'huile essentielle de
melaleuca, les cinq gouttes d'huile essentielle de citron et
les autres gouttes d'huile essentielle de girofle. Mélangez
encore une fois ces ingrédients à la fourchette en empê-
chant la formation de grumeaux.

Mettez une cuillère de ce désodorisant « fait maison » dans
chaque chaussure. Secouez-les pour disperser le produit.
Laissez agir pendant toute une nuit, puis éliminez l'excé-

dent de produit en brossant soigneusement l'intérieur des chaussures.

Mes conseils en plus

Le melaleuca est également connu sous le nom d'« arbre à thé ». Ce produit – qui convient fort bien pour les chaussures de sport et les chaussures en toile que l'on porte au cours de l'été – se conserve dans un récipient fermant hermétiquement.

Une seule précaution : il est conseillé de ne pas porter de chaussettes foncées pendant un ou deux jours avec les chaussures ainsi traitées.

Détachant pour le cuir (préparer un)

1/2 citron jaune fraîchement pressé • 3 gouttes d'essence de géranium • 1 filet d'eau distillée

Versez le jus de citron jaune dans un bol, puis ajoutez-y un filet d'eau distillée. Mélangez et ajoutez les trois gouttes d'essence de géranium. Imprégnez ensuite un morceau de coton propre avec ce produit détachant et tamponnez les taches faites sur le cuir. Laissez agir pendant quelques

secondes et rincez à l'aide d'un chiffon de coton légèrement humidifié.

Mes conseils en plus

Très astringent, le jus de citron doit être utilisé avec une relative parcimonie. Même précaution pour l'essence de géranium. Ce sont des produits qu'il faut toujours employer dilués.

Émail (nettoyer l')
jus de citron jaune fraîchement pressé

Lavabos, douches, baignoires… sont très souvent en émail. Leur nettoyage relève plus de la corvée que du plaisir. Il y a cependant moyen d'alléger cette corvée, tout en privilégiant un nettoyage naturel, économique et efficace… Au quotidien, imprégnez une éponge de jus de citron jaune et frottez-en les surfaces à nettoyer. Rincez ensuite à l'eau claire et essuyez.

Mes conseils en plus

❦

Remarquablement efficace, cette méthode possède aussi l'incomparable avantage de faire l'impasse sur les produits industriels aussi toxiques qu'onéreux que l'on trouve à foison dans le commerce.

Encre (éliminer les taches d') (1)
jus de citron jaune fraîchement pressé • savon

Si vous voulez éliminer de manière tout à fait radicale une tache d'encre sur les doigts ou les mains, rien ne vaut le jus de citron jaune versé directement sur la peau. Frottez plus ou moins énergiquement en fonction de l'ampleur de la tache, puis lavez-vous les mains au savon, comme vous le faites d'habitude.

Encre (éliminer les taches d') (2)
jus de citron jaune fraîchement pressé • gros sel

Mais si vous devez éliminer une tache d'encre faite sur un vêtement, vous devez vous y prendre autrement. Si la tache est récente et encore fraîche, saupoudrez-la immédiatement de gros sel, puis arrosez-la

de jus de citron jaune non dilué. Par contre, si elle est plus ancienne et qu'elle est donc plus fortement incrustée dans le tissu, appliquez seulement du jus de citron jaune non dilué sur la tache.

Engrais (confectionner un)

Quelques écorces de citrons jaunes de qualité biologique

Vous jetez les écorces des citrons lorsque vous les avez pressés ? Ne le faites plus ! Coupez-les plutôt en morceaux, puis enfouissez-les dans la terre de votre potager ou de votre jardin d'agrément. Non seulement, elles éloigneront les limaces, mais elles apporteront aussi un excellent engrais naturel. Il va de soi que vous n'utiliserez que des citrons de qualité biologique certifiée.

Éponge (désinfecter une)

jus de citron jaune fraîchement pressé • eau chaude

Souvent, les éponges sont mises à toutes les sauces. Et elles ont bien du mérite à résister aux nettoyages parfois vigoureux qu'on leur demande… Après une ou plusieurs utilisations, il est important de les désinfecter. Pour cela, faites-les simplement tremper pendant environ vingt-quatre heures dans de l'eau chaude généreusement addi-

tionnée de jus de citron jaune. Vos éponges vous rendront ensuite encore bien des précieux services.

Mes conseils en plus

L'éponge peut être d'origine synthétique, d'origine végétale ou animale. Dans les trois cas, sa structure poreuse lui confère une importante capacité d'absorption, équivalant à dix à douze fois sa masse sèche.

Les éponges animales, essentiellement marines, sont loin d'être une nouveauté : elles étaient déjà utilisées par les Crétois environ deux siècles avant notre ère.

Les éponges synthétiques, par contre, sont beaucoup plus récentes et n'ont fait leur apparition en France qu'en 1935. C'est leur prix, plus que leurs qualités intrinsèques, qui justifie leur succès commercial. En effet, ces éponges synthétiques n'ont qu'une médiocre capacité d'absorption (environ trois fois moins importante que celle des éponges d'origine animale, par exemple).

Fer à repasser (nettoyer et détartrer un)

1/2 citron jaune • sel fin

Pour nettoyer très efficacement votre fer à repasser tout en le détartrant de manière naturelle, frottez sa semelle à l'aide d'un demi-citron jaune dont la pulpe aura préalablement été saupoudrée de sel fin. Ensuite, rincez la semelle de votre fer avec une éponge humide, puis séchez-la à l'aide d'un chiffon propre. Il ne vous reste plus qu'à entamer la pile de linge à repasser qui s'entasse dans la manne à linge !…

Mes conseils en plus

De nombreuses personnes utilisent un autre produit naturel pour détartrer leur fer à repasser : le vinaigre. Cette solution est effectivement très efficace, mais présente toutefois un inconvénient non pas lié au produit utilisé, mais à la qualité des appareils. En effet, ceux-ci étant de plus en plus légers qualitativement parlant, leurs composants sont de moins en moins résistants. Après tout, si un fer à repasser était de qualité, il ferait office pendant de longues années et les industriels concernés verraient leurs ventes et leurs bénéfices diminuer. Ce qui, toutes marques confondues, les préoccupe beaucoup plus que la satisfaction des consommateurs… Donc, dans de nombreux cas, le vinaigre, s'il est réellement efficace, se montre trop corrosif pour les composants de piètre qualité du fer à repasser. Le citron a l'avantage d'être aussi efficace que le vinaigre, tout en étant sans risque, même pour des fers d'une qualité… disons moyenne…

Fourmis (éloigner des)

1/2 citron jaune moisi

Si les fourmis sont bel et bien des alliées naturelles et précieuses pour l'homme et l'agriculteur biologique respectueux de son environnement et de ses produits en étant les prédateurs naturels de nombreux invertébrés (chenilles…), et en protégeant les forêts de conifères contre les ravageurs (chenilles processionnaires…) et qu'elles méritent donc tout notre respect et notre bienveillance, il n'en est plus de même lorsqu'elles s'invitent abusivement dans nos salons ou nos cuisines. Comme vous respectez leur vie, mais aussi leur incontestable utilité dans la nature, vous refusez bien entendu de les tuer et donc vous refusez aussi d'utiliser tous ces produits industriels qui sont encore plus toxiques pour vous, votre famille et vos animaux de compagnie que pour les petites bestioles.

Il ne vous reste donc plus qu'une seule solution efficace : les éloigner de vos fauteuils, de vos casseroles ou de vos assiettes. Rien de plus simple : il suffit de disposer sur leur

passage un demi-citron jaune moisi pour qu'elles s'en aillent illico vers d'autres horizons. Elles ont en effet horreur de ça !

Fruit rouge (éliminer une tache de) (1)
jus de citron jaune fraîchement pressé

Une tache de fruit rouge sur votre belle nappe et c'est la panique ! Rassurez-vous, il n'y a rien de vraiment catastrophique. Du moins si, une nouvelle fois, vous vous en remettez aux vertus et propriétés de ce petit fruit… jaune : le citron. Comment faire ? Frottez le plus vite possible la vilaine tache avec du jus de citron, puis lavez tout simplement votre nappe comme vous le faites d'habitude. Vous n'aurez plus jamais cette petite pointe d'anxiété lorsque vous servirez à vos amis la coupelle de fraises, le sorbet de framboises ou le coulis de cassis…

Fruit rouge (éliminer une tache de) (2)
jus de citron jaune fraîchement pressé • babeurre

La technique est par contre différente si la tache est plus ancienne. Par exemple, si l'un de vos convives, un peu honteux d'avoir renversé du coulis de fraises, s'est empressé de dissimuler la vilaine tache sous son assiette ou sa serviette… Dans ce cas, quand la tache est déjà bien incrustée dans le tissu, faites tremper le linge pendant environ douze heures dans du babeurre additionné de jus de citron jaune. Rincez abondamment, puis lavez en machine comme vous le faites d'habitude.

Herbe (éliminer une tache d')
1/2 citron jaune • eau chaude

Vous venez de faire un peu de jardinage et vous constatez que vous avez des taches d'herbe sur vos vêtements. Il n'y a là rien de dramatique, même si la plupart des produits lessiviels industriels sont totalement incapables d'éliminer correctement ce type de taches. Si la tache est récente, vous pouvez l'éliminer en la frottant avec le côté pulpe d'un demi-citron jaune. Laissez sécher, puis lavez le vêtement comme vous le faites d'habitude. Mais si, par contre, la tache est plus ancienne et déjà bien incrustée dans le tissu, imprégnez-la de jus de citron pur ou dilué dans de l'eau chaude, puis laissez agir jusqu'à disparition de cette tache. Rincez ensuite à l'eau tiède et laissez sécher.

Humidité (éliminer une tache d')
30 g d'amidon • 30 g de savon blanc râpé • 15 g de sel fin • 1 citron jaune fraîchement pressé

Une tache d'humidité sur un vêtement demande le traitement suivant : trente grammes d'amidon, la même quantité

197

de savon râpé très finement, quinze grammes de sel fin et le jus d'un citron jaune. Mélangez bien tous ces ingrédients jusqu'à obtention d'une substance pâteuse. Frottez-en la tache qui va ainsi disparaître assez rapidement.

Ivoire (redonner sa teinte originelle à l')
1 citron jaune fraîchement pressé • gros sel

Bien entendu, le trafic et la commercialisation d'objets en ivoire sont totalement interdits et c'est une excellente chose. Même si, malheureusement, entre la volonté affichée et les faits concrets, il reste encore une trop grande marge. Peut-être que vous avez reçu ou hérité de petits bibelots en ivoire. Ces objets sont donc anciens et ils ont forcément jauni. Pour leur faire retrouver leur teinte originelle, confectionnez un mélange de jus de citron jaune et de gros sel. Étalez ce mélange sur les objets en ivoire à traiter, au moyen d'un pinceau, puis rincez-les à l'eau déminéralisée. Séchez-les.

Jus de fruits (éliminer une tache de)
jus de citron jaune fraîchement pressé • gros sel • eau tiède

Contrairement à ce que vous pouvez peut-être penser, une tache de jus de fruits frais sur un vêtement ou un textile

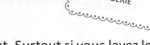

(nappe...) s'élimine assez facilement. Surtout si vous lavez le tissu en question dans une eau tiède légèrement citronnée. Recouvrez ensuite la tache de gros sel et laissez agir pendant au moins trente à quarante minutes. Rincez.

Laiton terni (raviver le)
1/2 citron jaune • sel

Pour raviver du laiton terni, saupoudrez de sel la partie pulpe d'un demi-citron jaune et frottez-en le métal. Rincez ensuite très soigneusement.

Lingerie (blanchir la)
poudre de borax • 1/2 citron jaune

Avec le temps, la lingerie a souvent tendance à perdre son blanc étincelant et à jaunir. Pour raviver le blanc, saupoudrez un demi-citron jaune de poudre de borax et passez-le sur la surface jaunie en prenant la précaution de bien humidifier le tissu à traiter. Laissez-le ensuite sécher, puis lavez-le comme d'habitude.

Mes conseils en plus

✥

Astuce complémentaire : si vous faites sécher votre lingerie au soleil, cela contribuera à lui faire retrouver toute sa blancheur initiale.

Marbre (traiter le)
1 citron jaune • eau

Coupez un citron jaune en deux et frottez la surface de marbre à traiter avec le côté pulpe. Rincez ensuite à l'eau claire et essuyez avec un chiffon propre. Voilà la meilleure manière de redonner son plus bel aspect à du marbre blanc.

Mes conseils en plus

✥

Utilisé depuis les plus lointaines époques, le marbre conserve toujours une certaine aura de prestige, que ce soit en construction ou en décoration. Si on extrait aujourd'hui du marbre dans diverses régions, il en est deux qui conservent toujours les faveurs des amateurs du genre : le marbre de l'île grecque de Paros qui présente un grain d'une extrême finesse, et, plus classique, le célèbre marbre de Carrare, d'une superbe blancheur.

Marques de brûlé (effacer les)
jus de citron jaune fraîchement pressé

Pour effacer des marques de brûlé sur un linge ou un vêtement, imprégnez le tissu marqué en le frottant avec du jus de citron jaune. Laissez-le ensuite sécher au soleil.

Attention : cette astuce n'est valable que pour le textile blanc !

Médicament (éliminer une tache de)
1/2 citron jaune • sel

Pour éliminer une tache de médicament faite sur un textile, vous pouvez tamponner la tache avec le côté pulpe d'un demi-citron jaune préalablement trempé dans du sel. Laissez sécher le textile, puis lavez-le comme d'habitude.

Mites (chasser les)
zestes de citron séchés

Quelques morceaux de zestes de citron séchés emballés dans une gaze : voilà de quoi éloigner à coup sûr les mites indésirables.

Nettoyant pour la paille (préparer un)
12 gouttes de jus de citron jaune • 1 blanc d'œuf •
quelques gouttes d'essence de géranium

Versez douze gouttes de jus de citron jaune dans un bol, puis ajoutez-y le blanc d'œuf. Remuez énergiquement à la cuillère, puis ajoutez quelques gouttes d'essence de géranium.

Mouillez ensuite l'extrémité d'un chiffon de coton avec ce produit et appliquez-le sur la paille tressée à traiter, en tapotant la surface. Laissez sécher et passez délicatement une petite brosse pour faire briller.

Mes conseils en plus

❧

Plusieurs précautions… Tout d'abord, il ne peut y avoir de pépins ou de pulpe dans le jus de citron. Ensuite, le blanc d'œuf doit être totalement dépourvu de jaune. Enfin, le chiffon utilisé doit être humidifié, mais pas trop mouillé.

Et une astuce supplémentaire : si l'objet en paille tressée est vraiment très sale, vous devez utiliser du blanc d'œuf monté en neige.

Dans certains cas, la paille présente d'importantes irrégularités et un chiffon n'est pas très pratique à utiliser. Dans ce cas, appliquez le produit à l'aide d'un petit pinceau.

Pare-brise (nettoyer un)
1/2 citron jaune

Un ancien slogan affirmait avec beaucoup de justesse que « au volant, la vue c'est la vie ». Pour nettoyer le pare-brise de votre voiture et vous assurer ainsi une excellente visibilité, passez sur sa face extérieure le côté pulpe d'un demi-citron jaune, juste avant de vous mettre en route. Résultat garanti !

Mes conseils en plus

❧

Pour être complet, il faut mentionner le fait qu'une autre astuce naturelle conseille de diluer une demi-tasse de bicarbonate de soude dans un litre d'eau chaude, puis de nettoyer le pare-brise avec cette préparation avant de le rincer à l'eau claire.

Parfumer
quelques écorces de citron jaune

Si vous avez la grande chance de posséder un feu ouvert, vous pouvez fort agréablement parfumer votre salon en jetant quelques écorces de citron dans les braises.

Mes conseils en plus

❧

Bien entendu, en fonction de votre goût ou de votre envie du moment, des écorces de mandarine ou d'orange font également l'affaire.

Plancher (entretenir un)
1/8 de tasse de paraffine • 12 gouttes de jus de citron jaune fraîchement pressé • eau

Si vous avez la chance de posséder, dans votre maison ou votre appartement, un véritable plancher en bois, vous devez bien sûr l'entretenir très soigneusement. Il en vaut largement la peine ! Pour cela, confectionnez un produit « maison » à base d'un huitième de tasse de paraffine dissoute dans un litre d'eau additionnée d'une douzaine de gouttes de jus de citron jaune. Frottez votre plancher avec un chiffon doux imbibé de cette préparation, puis laissez sécher et polissez de la manière habituelle.

Plan de travail (nettoyer un)
jus de citron jaune fraîchement pressé • bicarbonate de soude • eau

Comme il accueille tous les ingrédients qui composent votre repas et que, donc, vous mangez – les viandes, les poissons, les légumes, les fruits, le pain… –, le plan de travail de votre cuisine mérite tous vos soins. Il doit en effet toujours être d'une propreté irréprochable. Nettoyez-le et désinfectez-le très régulièrement en évitant toujours les produits industriels toxiques. Passez plutôt sur la surface à traiter un chiffon humide imprégné de jus de citron jaune. Rincez et essuyez.

Si votre plan de travail est vraiment fort sale, confectionnez une petite pâte « maison » à base de bicarbonate de soude et de jus de citron. Étalez cette pâte sur la surface à nettoyer et laissez-la agir pendant au moins une demi-heure. Frottez, rincez à l'eau claire et essuyez.

Porte de douche en verre (nettoyer une)

1/2 tasse de jus de citron jaune fraîchement pressé • 2 cuil. à soupe de sel

Pour nettoyer la porte en verre de votre douche, et surtout éliminer les éventuels résidus savonneux, mélangez intimement le jus d'un demi-citron jaune avec deux cuillerées à soupe de sel. Frottez ensuite la porte en verre avec ce mélange, rincez et essuyez.

Pot-pourri mijoté (préparer un)

4 citrons jaunes • 4 oranges • 4 mandarines • 25 bâtons de cannelle • 4 cuil. à soupe de clous de girofle • 4 cuil. à soupe de baies de genièvre • 2 cuil. à café de noix de muscade fraîchement moulue

Épluchez finement les agrumes, puis détaillez les écorces en lanières de la dimension d'une allumette. Mélangez les écorces, puis étalez-les en une fine couche sur une plaque à four. Glissez cette plaque ainsi garnie dans un four chaud, mais éteint. Laissez-la dans le four pendant une nuit. Mettez ensuite les écorces ainsi séchées dans un bol avec les bâtons de cannelle préalablement découpés en morceaux d'environ deux centimètres de long. Ajoutez encore les clous de girofle et les baies de genièvre, puis saupoudrez le tout de noix de muscade. Mélangez, puis transvasez cette préparation dans un pot fermant hermétiquement.

Pour embaumer votre maison, faites mijoter ce pot-pourri, par portions, en fonction de vos besoins ou de votre envie du moment.

Produit anti-moisissure (préparer un)

vinaigre • 2 oranges fraîchement pressées • 1 citron jaune fraîchement pressé • quelques aiguilles de pin

Vous vous apercevez que l'une de vos éponges de bain commence à moisir ? Voici la solution ! Versez du vinaigre dans un bol, puis ajoutez-y le jus des deux oranges, puis celui du citron jaune. Mélangez bien ces ingrédients à la cuillère, puis incorporez quelques aiguilles de pin. Laissez macérer le tout pendant deux grosses heures afin que l'arôme de pin puisse se mélanger aux autres odeurs. Placez l'éponge à traiter dans un bol et versez le mélange précédent dessus. Rincez ensuite à l'eau claire et retirez les petites aiguilles de pin. Répétez cette opération aussi souvent que nécessaire.

Mes conseils en plus

Le vinaigre – qui doit impérativement être de qualité supérieure afin de ne pas dégager une odeur désagréable – risque peut-être d'imprégner l'éponge de son odeur assez forte. Qu'à cela ne tienne ! Si, après avoir été soigneusement rincée, votre éponge de bain sent encore le vinaigre, plongez-la quelques instants dans de l'eau chaude légèrement savonneuse. Laissez-la tremper jusqu'à ce que l'odeur indésirable ait disparu.

Produit blanchissant (confectionner un)

1/2 tasse de jus de citron jaune fraîchement pressé • 6 à 8 gouttes d'huile essentielle de citron • 2 tasses d'eau

Écologique, économique et efficace : tels sont les trois « E » qui résument bien ce produit blanchissant « fait maison » pour votre lessive. Émulsifiez une demi-tasse de jus de citron avec deux tasses d'eau et six à huit gouttes d'huile essentielle de citron. Faites tremper le linge à blanchir dans ce mélange pendant au moins une heure, puis lavez-le comme d'habitude (éventuellement en ajoutant une demi-tasse de borax lors du rinçage). Si vous avez préparé trop de produit, sachez qu'il se conserve au réfrigérateur.

 Produit de nettoyage (préparer un)
4 cuil. à soupe de borax • 1 cuil. à café de savon liquide • 1/2 cuil. à café d'huile essentielle de citron

Mettez les quatre cuillerées à soupe de borax dans un bol et ajoutez-y une cuillerée à café de savon liquide. Mélangez bien ces ingrédients, en ajoutant encore un peu de savon, par petites quantités à la fois, jusqu'à l'obtention d'une pâte crémeuse. Incorporez-y une demi-cuillerée à café d'huile essentielle de citron et mélangez bien. Il n'y a plus qu'à utiliser.

Mes conseils en plus

Bonne nouvelle : voilà un excellent produit de nettoyage naturel, sans produit chimique ou eau de Javel. Il est conseillé d'en préparer de petites quantités à la fois, en fonction de vos besoins.

Pour le respect de votre environnement, utilisez de préférence un savon liquide non parfumé et à base végétale.

Puces (confectionner une poudre anti-)

25 g de lavande séchée • 25 g de menthe pouliot séchée • 25 g de romarin séché • 450 g de fécule de maïs • 250 g de bicarbonate de soude • 8 gouttes d'huile essentielle de citronnelle • 8 gouttes d'huile essentielle de romarin • 8 gouttes d'huile essentielle de citron • 10 gouttes d'huile essentielle de menthe pouliot

Mettez la lavande, la menthe pouliot et le romarin séchés dans le bol d'un mixeur et actionnez l'appareil jusqu'à obtention d'une poudre. Transvasez ensuite les herbes ainsi broyées dans une terrine, puis incorporez-y la fécule de maïs et le bicarbonate de soude. Mélangez bien les ingrédients, puis ajoutez huit gouttes d'huile essentielle de citronnelle, la même quantité d'huiles essentielles de romarin et de citron, ainsi que dix gouttes d'huile essentielle de menthe pouliot. Mélangez une nouvelle fois tous ces ingrédients. Transvasez la préparation ainsi obtenue dans un petit sac en polyéthylène, secouez bien et fermez hermétiquement. Laissez reposer la préparation pendant quelques jours afin que les senteurs se diffusent agréablement.

Saupoudrez ensuite cette très efficace poudre antipuce sur le corps de votre chien, en insistant un peu plus sur le ventre et les faces internes des cuisses de l'animal. Retirez ensuite l'excédent de poudre en brossant bien votre chien.

Mes conseils en plus

Cette poudre naturelle est au moins aussi efficace et infiniment moins toxique que les préparations chimiques ou que les colliers antipuces que l'on trouve dans les commerces spécialisés. Elle est d'autant plus efficace que les insectes indésirables n'apprécient guère les herbes séchées à senteur assez forte. Elle aura donc un double effet : chasser les éventuelles puces présentes sur votre animal et donner une agréable odeur naturelle à votre chien.

Une petite astuce supplémentaire : pour obtenir une poudre vraiment très fine, idéale pour cette utilisation, retirez toutes les brindilles et toutes les tiges des herbes séchées avant de commencer à préparer votre produit antipuce.

Récurer
1/2 tasse de vinaigre • 1 tasse de bicarbonate de soude • 10 gouttes d'huile essentielle de citron

Saviez-vous qu'il est possible de réaliser très facilement une crème à récurer « maison » ? Pour ce faire, mélangez, jusqu'à obtention d'une pâte, une demi-tasse de vinaigre, une tasse de bicarbonate de soude et quelques gouttes (une dizaine environ) d'huile essentielle de citron. Cette pâte se

conserve aisément jusqu'à cinq jours dans un bocal fermant hermétiquement. Cette crème présente un autre avantage : elle rend naturellement les mains douces !

Robinetterie (entretenir la)
jus de citron jaune fraîchement pressé

Pour éliminer de manière naturelle le tartre qui ne manque jamais d'encombrer votre robinetterie, frottez celle-ci avec un chiffon généreusement imbibé de jus de citron. Rincez et essuyez.

Rouille (éliminer une tache de) (1)
jus de citron jaune fraîchement pressé • sel

Une tache de rouille sur un tissu ? Pas de panique ! Mélangez du jus de citron et du sel, puis imbibez les taches de rouille avec cette préparation. Laissez agir pendant au moins une heure avant de frotter les taches et de laver le tissu ou le vêtement comme d'habitude.

Rouille (éliminer une tache de) (2)
jus de citron jaune fraîchement pressé • sel fin

Un mélange de jus de citron et de sel fin, déposé sur une éponge à récurer, est parfait pour faire disparaître les traces de rouille sur de fort nombreuses surfaces. Une fois la rouille éliminée, il ne vous reste plus qu'à appliquer un produit antirouille.

Sang (éliminer une tache de) (1)
jus de citron jaune fraîchement pressé • eau froide

Plus une tache de sang sur un linge ou un vêtement est récente et plus elle est facile à faire disparaître. Trempez le linge ou le vêtement dans de l'eau froide additionnée d'un petit peu de jus de citron. Laissez ensuite agir quelques minutes.

Sang (éliminer une tache de) (2)
jus de citron jaune fraîchement pressé • sel • eau froide

Par contre, si la tache est plus ancienne et incrustée dans le tissu, frottez-la avec de l'eau additionnée de sel et de jus de citron. Lavez ensuite le tissu à l'eau tiède savonneuse.

Solution blanchissante pour le linge (préparer une)

1/2 tasse de jus de citron jaune fraîchement pressé • 8 gouttes d'huile essentielle de citron • 1/2 tasse de borax • eau

Émulsifiez le jus de citron jaune, l'huile essentielle de citron et deux tasses d'eau. Faites tremper le linge que vous désirez blanchir dans cette solution pendant au minimum une heure. Lavez ensuite votre linge comme vous le faites d'habitude, en ajoutant une demi-tasse de borax lors du rinçage.

Mes conseils en plus

Cette solution doit être conservée au réfrigérateur.

Vêtement (nettoyer un)

jus de citron jaune fraîchement pressé • liquide de vaisselle bio • ammoniaque • eau

Souvent, au fil du temps, les cols et poignets de certains vêtements (les chemises, par exemple) ont tendance à noircir. Pour remédier à ce problème, préparez une solution composée d'eau, de liquide de vaisselle biologique, d'ammoniaque et de jus de citron en proportions égales.

214

Imbibez-en un linge et tamponnez les endroits à traiter. Rincez et séchez. Le résultat est spectaculaire.

Mes conseils en plus

Soyez cependant relativement prudent en manipulant ou en utilisant de l'ammoniaque. Encore connue sous l'appellation d'hydroxyde d'ammonium, il s'agit d'une solution aqueuse formée au départ d'ammoniac, qui est un gaz dont l'odeur est particulièrement irritante. En tant que telle, l'ammoniaque n'est pas un produit véritablement dangereux. Elle est néanmoins très volatile et le gaz libéré (l'ammoniac) peut être extrêmement irritant et même provoquer de vives douleurs. Son ingestion est bien entendu totalement prohibée.

Vitres (faire briller les)
jus de citron jaune fraîchement pressé • eau

Des vitres étincelantes, c'est bien agréable. Pour arriver facilement à ce résultat, diluez du jus de citron dans un peu d'eau et passez cette préparation sur vos vitres. Essuyez-les ensuite à l'aide de papier journal.

Mes conseils en plus

Une autre astuce fait la part belle au sel. Si vous ajoutez un peu de sel fin à l'eau de lavage de vos vitres, vous constaterez que celles-ci n'auront jamais été aussi brillantes.

En cuisine

Aluminium (nettoyer un plat en) (1)
jus de citron jaune fraîchement pressé

Vous venez de faire de la cuisine et vous devez maintenant nettoyer un plat en aluminium qui a servi en cours de préparation. La tâche n'a généralement rien d'enthousiasmant. Raison de plus pour vous simplifier la vie… Sachez qu'une simple éponge imbibée de jus de citron jaune suffit, dans l'immense majorité des cas, à nettoyer rapidement tous les plats en aluminium.

Aluminium (nettoyer un plat en) (2)
quelques rondelles de citron jaune • eau

Vous voulez que vos casseroles en aluminium retrouvent une seconde jeunesse ? Facile ! Faites bouillir quelques rondelles de citron jaune, avec de l'eau, dans les casseroles à traiter. C'est miraculeux !

Assaisonnement (remplacer le vinaigre dans un)
citron jaune

Dans de nombreux pays méditerranéens, et notamment la Grèce qui lui fait la part belle en cuisine, les ménagères et les cuisiniers professionnels ou amateurs le savent bien : le citron est tout à fait incontournable aux fourneaux où il

rend une multitude de services. D'ailleurs, ce n'est pas un hasard si l'on trouve des citronniers dans la plupart des jardins et des patios. Ils « font joli », certes, mais ils sont aussi d'une réelle utilité.

Parmi ses multiples applications en cuisine, le citron remplace très avantageusement le vinaigre classique, mais aussi le sel. C'est notamment le cas pour la confection de sauces pour salades. Attrait supplémentaire qui est loin d'être négligeable : le citron facilite la digestion.

Mes conseils en plus

On l'a dit : la Grèce est un pays qui voue un véritable culte au citron. Les gastronomes grecs, qui savent ce que l'expression « bien manger » veut dire l'utilisent d'abondance. Pour agrémenter les poissons, certes, mais aussi sur le poulet frit, voire même les côtes d'agneau. Nombreux sont aussi ceux qui laissent tomber quelques gouttes de jus de citron jaune sur… les frites. C'est surprenant, bien sûr, mais cela rehausse la saveur des frites tout en facilitant grandement leur digestion. Par ailleurs, les Grecs, aussi gourmets que gourmands, aiment mitonner une sauce tout à fait exceptionnelle, baptisée « avgolemono », à base d'œufs et de jus de citron. Sur la même base, ils aiment également servir une soupe, assez roborative mais tout à fait succulente, du même nom.

Blanquette de veau (attendrir naturellement une)

jus de citron jaune fraîchement pressé

Typique de la meilleure cuisine familiale traditionnelle, la blanquette de veau reste une préparation dont tout le monde raffole. Offrez encore plus de plaisir gourmand à vos convives en intégrant un petit peu de jus de citron jaune à l'eau de cuisson de la blanquette. Ainsi, votre viande sera encore plus tendre. Personne n'y résistera et vos plats retourneront tout à fait vides en cuisine.

Bouillon (alléger un)

écorce de citron jaune de qualité biologique

Cela arrive : certains bouillons sont parfois un peu lourds. Ils ont tendance à « tomber sur l'estomac », comme le dit l'expression populaire et sont donc assez difficiles à digérer. Si vous désirez alléger simplement et sainement un bouillon que vous êtes en train de préparer, il vous suffit d'y incorporer une écorce de citron jaune. Vous la retirerez de la préparation juste avant de proposer votre bouillon – aussi succulent que léger et digeste – à vos convives qui rendront plus que jamais un juste hommage à vos talents de cordon bleu.

Mes conseils en plus

Bien entendu, il est essentiel de n'utiliser que du citron de qualité biologique.

Caramel (réussir un)
1 filet de jus de citron jaune fraîchement pressé

Bien entendu, vous connaissez les proportions de base vous permettant de réussir un caramel : une cuillerée à café d'eau pour cinq morceaux de sucre. Mais pour être absolument certain que votre caramel ne sera pas collant, ajoutez-y un filet de jus de citron jaune dès qu'il commence à brunir.

Mes conseils en plus

Certains cuisiniers aiment remplacer le filet de citron par un trait de vinaigre. La saveur du citron est, cependant, nettement préférable pour cette préparation.

Carottes (préserver la couleur des)
jus de citron jaune fraîchement pressé • eau froide

C'est toujours joli et unanimement apprécié : tout le monde raffole des petits bâtonnets de carottes présentés en apéritif, éventuellement avec une petite sauce « faite maison » en accompagnement. Un seul bémol, pourtant : aussi délicieuses soient-elles, les carottes ont parfois tendance à pâlir légèrement et donc à perdre un peu de leur jolie couleur et de leur belle mine. Pour qu'elles conservent leur jolie teinte, il existe une petite astuce toute simple : il vous suffit de les faire tremper, une fois grattées et coupées, dans un petit peu d'eau fraîche additionnée de jus de citron jaune. Conservez-les, déjà débitées en petits bâtonnets, dans cette eau citronnée jusqu'au moment de les servir. Juste avant de les proposer à vos convives, égouttez-les bien à fond et essuyez-les à l'aide d'un torchon de cuisine. Il n'y a plus qu'à déguster !

Mes conseils en plus

La couleur relativement foncée de la carotte provient des différents pigments qu'elle contient. Selon de nombreuses études très fiables, ces derniers contribueraient à prévenir efficacement certains cancers ainsi que les maladies cardio-vasculaires. En résumé, on peut dire que plus elles sont colorées, mieux c'est.

Les carottes marron contiendraient deux fois plus de bêta-carotène que les carottes orange. Les carottes jaunes et blanches n'en contiennent quasiment pas. Même topo en ce qui concerne la vitamine C : si les carottes marron et orange en contiennent des quantités intéressantes pour la santé, les carottes blanches n'en recèlent presque pas.

Cela dit, d'une manière générale, on peut affirmer que, riche en caroténoïdes (qui ont un effet protecteur contre le cancer), en fibres (et notamment en fibres solubles, qui permettent de lutter contre les excès de cholestérol), en diverses vitamines (A, B1, B2, B3, B6, C, E et K) mais aussi en fer, en phosphore et en potassium, la carotte se présente comme un véritable légume santé.

Chou-fleur (atténuer l'odeur du)
1 morceau de citron jaune de qualité biologique

Un chou-fleur qui cuit a généralement la détestable habitude de parfumer toute la cuisine, voire même la maison. Et cela de manière fort peu agréable. Même une hotte efficace ne parvient pas toujours à éliminer cette odeur aussi forte que tenace. Pour pallier efficacement cet inconvénient, qui finirait par vous faire hésiter à préparer ce légume par ailleurs délicieux chaud ou froid,

glissez tout simplement un morceau de citron jaune dans la casserole de cuisson. Disparue, l'odeur de chou !

Mes conseils en plus

L'utilisation d'un citron de qualité biologique est bien évidemment à recommander.

Chou-fleur (préserver la couleur du)
jus de citron jaune fraîchement pressé

Un chou-fleur terne, voire grisâtre, c'est triste. Désolant. Et fort peu appétissant. Pour que votre chou-fleur conserve sa belle couleur blanche, arrosez-le de jus de citron jaune juste avant de le faire cuire. C'est imparable !

Compote de fruits (rendre plus savoureuse une)
1 citron jaune fraîchement pressé • sel fin

Vous aimez les compotes de fruits ? Vous avez pleinement raison ! Outre le fait qu'elles sont toujours délicieuses, ce sont aussi des mines de bienfaits pour la santé, en fonction des fruits utilisés et de leur caractère biologique. Mais vos compotes seront encore plus succulentes si, en tout début de cuisson, vous intégrez le jus d'un citron jaune et une petite pincée de sel fin à vos préparations.

> ## *Mes conseils en plus*
>
> *Cette astuce est valable pour toutes les compotes de fruits « faites maison ». Mais elle se montre particulièrement efficace pour les compotes de pommes.*

Confitures (réussir les)
pépins de citron jaune

Pour vous aider à réussir toutes vos savoureuses confitures « maison », mais aussi vos gelées et autres marmelades, n'hésitez jamais à ajouter quelques pépins de citron jaune à votre préparation, lors de la cuisson. Leur pectine permettra aux confitures de mieux prendre et de mieux gélifier.

Conserver un demi-citron jaune
1/2 citron jaune

Pour conserver un demi-citron jaune (ou vert) sans que cela pose de problème, il vous suffit de le poser sur une petite soucoupe, côté pulpe vers le bas. Pour que sa conservation soit encore plus longue, couvrez le demi-fruit avec un verre retourné.

Coquillages (détruire les germes des)
jus de citron jaune fraîchement pressé

Environ un quart d'heure avant de les déguster, arrosez vos coquillages avec un filet de jus de citron jaune. Il s'agit, bien entendu, d'une question de saveur, mais il est aussi question d'hygiène alimentaire : le citron va, en effet, détruire tous les germes qui peuvent se trouver dans les coquillages. Vous faites ainsi d'une pierre deux coups.

Couteau de cuisine (détacher un)
1/2 citron jaune • sel

Pour détacher facilement la lame d'un couteau de cuisine, évitez les produits chimiques vendus dans le commerce. N'oubliez jamais que vous utiliserez par la suite ce même couteau pour découper vos ingrédients ou aliments. Dans ce cas, mieux vaut qu'il n'ait pas été souillé par des produits chimiques éventuellement toxiques. Mieux vaut employer une solution inoffensive et naturelle qui, en plus, a le mérite d'être très économique. Frottez tout simplement la lame à traiter avec le côté pulpe d'un demi-citron légèrement saupoudrée de sel. Rincez et essuyez.

Crudités (rendre plus digestes les)
jus de citron jaune fraîchement pressé

Si vous pensez à arroser toutes vos crudités avec un filet de jus de citron jaune, celles-ci seront nette-ment plus digestes et, en outre, elles ne s'oxyderont pas.

Four à micro-ondes (nettoyer un)
1/2 tasse de bicarbonate de soude • 1 cuil. à soupe de vinaigre blanc • 4 gouttes d'huile essentielle de thym • 4 gouttes d'huile essentielle de citron

Pour une parfaite hygiène de votre four à micro-ondes, retirez sa plaque tournante et nettoyez-la avec un chiffon légèrement humidifié de vinaigre blanc.

Par ailleurs, préparez une pâte composée d'une demi-tasse de bicarbonate de soude, d'une cuillerée à soupe de vinaigre blanc, de quatre gouttes d'huile essentielle de thym et de la même quantité d'huile essentielle de citron.

Appliquez-la à l'aide d'un chiffon doux à l'intérieur du four. Essuyez ensuite avec un autre chiffon humide, puis laissez sécher l'intérieur de l'appareil en laissant la porte ouverte.

Grumeaux (éviter la formation des)
jus de citron jaune fraîchement pressé

Pour éviter la formation d'indésirables grumeaux lors de la réalisation de certaines préparations (notamment certaines sauces), ajoutez-y un filet de jus de citron jaune.

Jus de citron jaune (extraire un maximum de)
1 citron jaune

Pour que votre beau citron jaune vous fournisse un maximum de jus, roulez-le au préalable sur un plan de travail, en appuyant dessus avec la paume de la main. Cette petite technique va déstructurer les fibres, ce qui permettra d'extraire un maximum de jus du fruit.

Si, par la suite, vous voulez le presser mais que vous n'avez pas de presse-fruits sous la main, ce n'est pas un problème ! Coupez le citron en deux et enfoncez les dents d'une fourchette dans la moitié de fruit que vous désirez presser. Puis, tout en pressant, imprimez à la fourchette un petit mouve-ment de gauche à droite, mais sans la faire pivoter.

Mes conseils en plus

Il va de soi que ce petit tour de main est également valable pour le citron vert.

Lave-vaisselle (produit de rinçage pour le)
jus de citron jaune fraîchement pressé

Vous pouvez très facilement et avantageusement rempla-cer le liquide industriel de rinçage pour lave-vaisselle par un produit naturel, économique et « maison » : le jus de citron jaune. Celui-ci va désinfecter, mais aussi redonner toute leur brillance à vos verres notamment. Avantage sup-plémentaire : il est totalement inoffensif pour vos canali-sations et votre appareil électroménager. Mieux même : il combat le calcaire… tout en restant aussi inoffensif pour votre santé.

Liquide vaisselle (confectionner son) (1)

1 cuil. à café de bicarbonate de soude • 1 cuil. à soupe de vinaigre blanc • 10 cl de liquide vaisselle écologique • 15 gouttes d'huile essentielle de citron • eau

Une quinzaine de gouttes d'huile essentielle de citron jaune, une cuillerée à café de bicarbonate de soude, dix centilitres de liquide vaisselle écologique et une cuillerée à soupe de vinaigre blanc : il n'en faut guère plus pour réaliser, facilement et à moindre coût, un fantastique liquide vaisselle « fait maison » totalement écologique et inoffensif pour votre santé. Versez ce mélange dans un petit flacon d'une contenance d'un demi-litre et complétez avec de l'eau claire. N'oubliez pas de bien agiter avant chaque utilisation.

Liquide vaisselle (confectionner son) (2)

37,5 cl de savon liquide de Castille • 15 gouttes d'huile essentielle de citron • 8 gouttes d'huile essentielle de citron vert • 8 gouttes d'huile essentielle d'orange

Versez le savon liquide de Castille dans une bouteille munie d'un gicleur, puis ajoutez-y les quinze gouttes d'huile essentielle de citron, les huit gouttes d'huile essentielle de citron vert et la même quantité d'huile essentielle d'orange. Secouez soigneusement la bouteille fermée pour mélanger ces divers composants. Agitez bien avant chaque utilisation. Comptez deux cuillerées à soupe de ce mélange par vaisselle.

Mes conseils en plus

Véritablement multi-usage, le savon de Castille est extraordinairement doux et entièrement naturel. Disponible sous forme solide ou liquide, il est aussi 100% huile d'olive. Il convient aussi bien pour la douce peau de bébé que pour les linges délicats ou la toilette intime. Il convient également pour diverses applications ménagères, en combinaison avec d'autres substances naturelles. Il est très facile à réaliser chez soi (avec de l'huile d'olive de qualité et de la lessive de soude), mais vous pouvez aussi le trouver dans les boutiques spécialisées en produits naturels.

Manche de couteau en os (détacher un)

1/2 citron jaune • sel

Avec le temps, les manches de couteau en os peuvent se couvrir de taches. Sauf... si vous les frottez doucement avec un demi-citron jaune trempé dans du sel. Rincez et séchez aussitôt.

Mayonnaise (alléger une)

quelques gouttes de jus de citron jaune

Pour préparer une délicieuse mayonnaise « maison », vous savez que la qualité des divers ingrédients est essentielle. Vous savez aussi certainement que l'huile et les jaunes d'œufs doivent être à même température. Mais saviez-vous qu'en incorporant quelques gouttes de jus de citron jaune à votre préparation, vous rendrez votre mayonnaise particulièrement légère et, donc, encore meilleure ?

Meubles et équipements (laver et dégraisser les)

2 cuil. à soupe de borax • 1/2 tasse de vinaigre blanc • 2 cuil. à soupe de savon liquide de Castille • 1/2 tasse de jus de citron jaune fraîchement pressé • 6 gouttes d'huile essentielle d'orange douce • 6 gouttes d'huile essentielle de citron • eau

Les meubles et les divers équipements de votre cuisine ont parfois tendance à se salir et à devenir assez rapidement gras. Qu'à cela ne tienne ! Voici une petite mixture « faite maison » qui va accomplir de véritables miracles !

Faites dissoudre les deux cuillerées à soupe de borax dans une demi-tasse d'eau chaude, puis versez ce mélange dans une bouteille munie d'un vaporisateur. Ajoutez-y ensuite la demi-tasse de vinaigre blanc, les deux cuillerées à soupe de savon liquide, la demi-tasse de jus de citron jaune, les six gouttes d'huile essentielle d'orange douce et les six gouttes d'huile essentielle de citron. Complétez le tout avec environ deux tasses et demie d'eau. Secouez bien la bouteille fermée afin de mélanger intimement ces divers composants. Vaporisez ensuite les surfaces à traiter avec ce produit, puis essuyez à l'aide d'un chiffon propre légèrement humidifié. Vos meubles de cuisine n'auront jamais été aussi beaux !

Moisissure dans le réfrigérateur (combattre la)
jus de citron jaune fraîchement pressé

Grâce à son puissant pouvoir antifongique, le citron jaune se montre idéal pour combattre très efficacement les moisissures. Celles-ci peuvent notamment apparaître dans votre réfrigérateur qu'il convient donc de nettoyer et de désinfecter régulièrement, et au moins deux fois par an. Pour ce faire, une éponge imprégnée de jus de citron est parfaite. Rien de bien compliqué, donc. Mais, en revanche, vraiment efficace et naturellement sain.

Moutarde (conserver la)
1 rondelle de citron jaune

Votre moutarde ne séchera plus jamais en surface si vous prenez la précaution de la couvrir d'une rondelle de citron jaune, que vous renouvellerez régulièrement.

Mes conseils en plus

On le sait très rarement mais, outre le fait qu'elle est devenue quasiment incontournable en cuisine, la moutarde possède quelques autres atouts… En tant que plante, la moutarde est un excellent engrais vert, du fait que ses racines ont le pouvoir de défoncer les sols trop lourds et de les ameublir en profondeur. Quant aux feuilles de moutarde, elles passent pour être antiscorbutiques. Leur grande richesse en vitamine C n'est pas étrangère à cette légitime réputation. Elles sont aussi considérées comme un excellent tonique printanier et un bon dépuratif en Chine. Pour sa part, le cataplasme à base de farine de moutarde a été également utilisé pour soigner rhumes, bronchites et diverses affections respiratoires, mais également les névralgies, les maladies rhumatismales, les raideurs dans les épaules ou la nuque…

Noircissement des aliments (éviter le)
jus de citron jaune fraîchement pressé

Une fois épluchés ou pelés, de fort nombreux aliments ont tendance à noircir au contact de l'air : les bananes, les pommes, les artichauts, les avocats, les champignons de couche… et bien d'autres encore. Pour empêcher cela, il faut aller au plus simple et les arroser de jus de citron jaune. Efficacité garantie !

Odeur (faire disparaître une)
écorces de citron jaune

Pour faire disparaître à coup sûr toute odeur désagréable de votre cuisine, glissez quelques écorces de citron jaune dans votre four encore chaud, juste après avoir cuisiné. Laissez ensuite ces écorces dans le four, éteint et porte ouverte, le temps que celui-ci refroidisse complètement. Elles vont absorber toutes les odeurs indésirables. Ensuite, jetez-les.

Œuf (éliminer une tache d') (1)
jus de citron jaune fraîchement pressé • eau

Comme c'est souvent le cas, plus une tache d'œuf faite sur un linge ou un vêtement est récente, et plus

235

elle est facile à faire disparaître. Trempez le tissu concerné dans de l'eau froide additionnée de jus de citron jaune. Laissez agir pendant quelques minutes, le temps de faire disparaître la vilaine tache.

Œuf (éliminer une tache d') (2)
jus de citron jaune fraîchement pressé • sel • eau tiède

Par contre, si la tache est plus ancienne et donc plus incrustée dans le tissu, frottez-la avec de l'eau additionnée de jus de citron jaune et de sel. Lavez ensuite le tissu à l'eau tiède savonneuse.

Œuf (monter en neige)
jus de citron jaune fraîchement pressé

Pour obtenir rapidement des blancs d'œufs montés en une belle neige bien ferme, vous pouvez y incorporer quelques gouttes de jus de citron jaune, en fonction du nombre d'œufs utilisés. La base de calcul est la suivante : une goutte de jus de citron pour un blanc d'œuf. Adaptez en fonction du nombre d'œufs utilisés, mais respectez toujours scrupuleusement cette proportion.

Pâte brisée (réussir une)

jus de citron jaune fraîchement pressé

Lorsque vous réalisez une pâte brisée « maison », n'oubliez jamais d'y incorporer quelques gouttes de jus de citron jaune. L'acide naturel qu'il contient va « désagréger » le gluten et ainsi rendre votre pâte moins élastique et beaucoup plus agréable à travailler.

Pépins (éliminer les)

1 citron jaune

Lorsque vous utilisez un citron jaune, ce sont toujours les pépins qui vous posent des problèmes. Pour en avoir déjà certainement fait l'expérience, vous savez qu'aller les repêcher dans une préparation (jus, sauce...) n'a rien de facile ni d'amusant. Pour éviter cet inconvénient spécifique au citron jaune (le citron vert, encore appelé lime, ne possède pas de pépins), il suffit de recourir à une petite astuce toute simple : coupez le citron en deux, puis enveloppez la moitié de citron que vous voulez presser dans une petite mousseline. Le jus passera au travers du linge, mais pas les pépins ni la pulpe.

Poulet rôti (réussir un)

1 citron jaune • gros sel

Vous préparez un poulet rôti ? Vous êtes sûr de faire plaisir à tout le monde ! Et il sera encore meilleur si, juste avant de le mettre à cuire, vous prenez la peine de frotter sa peau avec la pulpe d'un citron et un peu de gros sel. En fin de cuisson, votre volaille présentera une peau aussi savoureuse que délicieusement croustillante. Un véritable régal auquel personne ne pourra résister !

Produit vaisselle (préparer un)

1 ou 2 cuil. d'argile • 1 cuil. de cendres • quelques gouttes d'huile essentielle de lavande • 1 cuil. à soupe de jus de citron jaune fraîchement pressé

Versez une ou deux cuillerées d'argile dans un bol et ajoutez-y une cuillerée de cendres. Mélangez bien ces deux composants, puis versez quelques gouttes d'huile essentielle de lavande et la cuillerée à soupe de jus de citron jaune. Mélangez bien le tout, puis laissez reposer cette préparation pendant environ une heure avant de l'utiliser. Versez-en une à deux cuillerées dans de l'eau très chaude et remuez. Faites ensuite votre vaisselle à la main, comme d'habitude.

Mes conseils en plus

❧❀❧

Pour cette préparation, vous pouvez utiliser n'importe quel type d'argile. Les cendres provenant de votre feu ouvert sont parfaites. Vous pouvez aussi remplacer l'huile essentielle de lavande par de l'huile essentielle de thym ou de romarin, en même quantité. Le citron joue ici à fond son rôle de désinfectant, tout en préservant la douceur de vos mains.

Salade (nettoyer une)
jus de citron jaune fraîchement pressé

Lorsque vous nettoyez une salade, n'oubliez jamais d'ajouter un petit filet de jus de citron jaune à l'eau de nettoyage. C'est idéal pour éliminer, de manière aussi efficace que naturelle, tous les éventuels microbes.

Salade de fruits (préparer une)
jus de citron jaune fraîchement pressé

Si vous ajoutez un filet de jus de citron jaune à votre salade de fruits frais, vous éviterez que les morceaux de fruits ne noircissent au contact de l'air. Votre prépara-

tion sera alors aussi éclatante de couleurs que pétillante de saveurs. Tout le monde va se régaler !

Tarte au citron (réaliser une)
citrons jaunes de qualité biologique

Si vous appréciez la petite note acidulée des citrons, vous pouvez réaliser une tarte au citron en utilisant des fruits coupés en très fines rondelles. Par contre, si vous aimez la saveur du citron tout en redoutant son acidité, l'astuce consiste à n'utiliser que le jus du fruit et ses zestes, puis à mélanger ces deux ingrédients avec des pommes épluchées, épépinées et râpées.

Vaisselle (nettoyer la)
***jus de citron jaune fraîchement pressé • liquide
vaisselle de qualité biologique***

Après avoir cuisiné du poisson, votre vaisselle sent toujours relativement fort. L'acide citrique du citron possède la capacité d'éliminer cette odeur tenace. Nettoyez donc vos casseroles, vos plats de service, vos assiettes... avec votre produit de vaisselle habituel, additionné de jus de citron. Votre vaisselle sera impeccable, sans la moindre odeur. Cette astuce naturelle est infiniment plus efficace et plus économique que les produits pour laver la vaisselle qui sont vendus dans le commerce et « agrémentés » d'une odeur de citron chimique et reconstituée.

Verre (faire briller un)

1 citron jaune fraîchement pressé • eau chaude

Vous voulez que vos verres soient étince-lants ? C'est facile ! Versez le jus d'un citron dans leur eau chaude de rinçage. Et le tour est joué !

Viande au barbecue (faire mariner une)

huile d'olive vierge extra • jus de citron jaune fraîchement pressé

Avec le beau temps, vous sortez bien entendu votre bar-becue. Au menu : belles entrecôtes, brochettes de viandes, savoureuses côtes d'agneau… Quand vous préparez une viande au barbecue, faites-la préalablement mariner pen-dant environ une heure dans un mélange d'huile d'olive vierge extra et de jus de citron jaune. Votre viande ne sera jamais sèche en fin de cuisson, mais plutôt tendre et savoureuse.

Vin rouge (éliminer une tache de)

jus de citron jaune fraîchement pressé • savon de Marseille • eau chaude

Contrairement à ce que l'on pense souvent, une tache de vin rouge sur une nappe n'est pas catastrophique. Avant de laver la nappe, frottez la tache avec du savon de Marseille et du jus de citron. Rincez ensuite généreusement à l'eau très chaude.

Mes conseils en plus

Traditionnellement, le véritable savon de Marseille se présente sous la forme d'un cube composé à 72 % d'huile. De ce fait, il est l'héritier d'une fort longue tradition qui puise ses origines dans l'Antiquité. En cette lointaine époque, en effet, on utilisait déjà une mixture à base d'huile, d'eau et de cendres, ancêtre de nos savons modernes. Au Moyen Âge, un nouveau procédé de fabrication est mis au point, ajoutant de la chaux aux cendres lessivées. Dès le XVIe siècle, la savonnerie est étroitement liée à l'activité de nombreuses familles marseillaises. Il est vrai que la Provence dispose des principales matières premières indispensables : l'huile d'olive ainsi que le sel et les cendres de salicorne originaires de Camargue. Trois siècles plus tard, la profession de savonnier commence à véritablement s'organiser et Marseille s'impose comme un haut lieu de production, à l'égal de Toulon ou de Salon-de-Provence. L'activité est florissante à cette époque et la cité phocéenne totalise plus d'une dizaine de savonneries qui, toutes, proposent des produits très typés. Aujourd'hui, la concurrence industrielle est féroce et nombre de petites savonneries à taille humaine et familiale ont malheureusement disparu du paysage. En 2003, le site de la « Compagnie du Savon de Marseille » est repris par la plupart de ses cadres et dirigeants. Il fait désormais partie de l'un des trois producteurs provençaux encore en activité.

Index

Index alphabétique des trucs, astuces et remèdes

Index thématique des trucs, astuces et remèdes

SANTÉ ET BIEN-ÊTRE

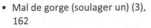

MAISON ET JARDIN

Découvrez aussi :

ISBN : 978 2 7540 1719 0

5,90 € • 320 PAGES

ISBN : 978 2 7540 2517 1

4,90 € • 280 PAGES

ISBN : 978 2 7540 2518 8

4,90 € • 256 PAGES

ISBN : 978 2 7540 3136 3

4,90 € • 256 PAGES